Troisième Personne

DU MÊME AUTEUR

Mon grand-père, Allia, 1999
L'Agrume, Allia, 2001
Eau sauvage, Allia, 2004
Une dispute et autres embrouilles, petitP.O.L, 2004
Pork and Milk, Allia, 2006
Ping-pong, Allia, 2008
Forêt noire, P.O.L, 2012

Valérie Mréjen

Troisième Personne

Roman

P.O.L
33, rue Saint-André-des-Arts, Paris 6ᵉ

© P.O.L éditeur, 2017
ISBN : 978-2-8180-4158-1
www.pol-editeur.com

Une chambre. De part et d'autre de la table en bois, deux fauteuils confortables pour les visiteurs. Depuis la fenêtre, on voit que les volets roulants des immeubles en face sont baissés. Le quartier est désert pendant les mois d'été.

Au milieu de la pièce, un lit articulé et sa commande reliée par un câble.

En face, accroché en hauteur, un poste de télévision en veille.

Une table à roulettes en métal pour les plateaux-repas.

Quelques affaires éparses. Des vêtements de plusieurs tailles. Du linge.

L'enfant - Le père - La mère - Un chauffeur de taxi

Des dames en blouse

La personne de l'accueil

Une voiture neuve, le soleil aveuglant, la Seine

Le mode d'emploi schématisé est fait pour être compris du premier coup d'œil par l'utilisateur, quels que soient son intelligence ou son niveau de sens pratique. N'importe qui doit normalement être en mesure d'assembler le harnais sans se tromper. Pourtant, les dessins avec flèches et pôles contraires conçus pour s'emboîter naturellement lui semblent d'une complexité considérable.

Elle passe ses bras dans des bretelles qui pourraient être celles d'un parachute.

8

Les petites jambes emmaillotées dans une combinaison intégrale en tricot sont à présent suspendues dans le vide. Ils s'assurent plusieurs fois que tout est bien fixé avant d'amorcer le mouvement.

Les sacs qu'ils avaient pris à l'aller sont fermés. Ils attendent le feu vert d'une personne du service. Pendant six jours, elle a passé son temps à essayer de ranger la pièce en déplaçant des tas irréguliers d'une surface à l'autre, des piles de vêtements minuscules qu'elle ne sait pas encore plier, en équilibre provisoire, gilets croisés en maille si douce qu'ils glissent inexorablement, grenouillères jalonnées d'une série de boutons-pression dont il faut repérer les emplacements et bien garder en tête que pour les ajuster, patience et discipline seront les bienvenues mais ne dispenseront pas de devoir s'y reprendre à plusieurs reprises.

Ils remercient les dames en blouse. C'est la dernière fois qu'ils se voient. Il y a une évidente disproportion entre la reconnaissance éternelle qu'ils portent désormais à ces sages-femmes et l'affabilité professionnelle, chaleureuse mais professionnelle, dont on les gratifie au moment de partir. Ils connaissent leurs prénoms, ils aimeraient les embrasser, noter leurs numéros de téléphone, promettre qu'ils se reverront. Pour eux, ce moment est le seul, ils se souviendront de nombreux détails. Pour elles, cela fait partie des affaires courantes, ce sont des parents qui repartent avec leur nouveau-né. Longtemps encore, la jeune mère aura presque envie de revenir leur dire bonjour, de passer avec son enfant une ou deux fois par an, l'enfant sachant sourire, sachant marcher, sachant parler, pour leur donner la possibilité de suivre son évolution et de se pâmer devant le prodige.

Ils ont descendu les cinq ou six marches qui séparent la chaussée de l'établissement. L'homme ouvre les portières de son taxi, un monospace noir et brillant dont la carrosserie bombée reflète telle une lentille optique l'image anamorphosée des immeubles, des bâtiments autour et d'une partie du ciel, et dont les reliefs courbes attrapent les rayons du soleil pour les renvoyer sous forme de flashs. La rue entière semble vouloir se pencher sur les ailes étincelantes du véhicule et se contorsionner afin d'apercevoir un peu du jeune visage avant que les portières ne se referment. Les lampadaires, les façades ravalées, les portes à digicode, les quelques arbres et les panneaux de stationnement dévoilent ainsi leur vraie nature : ce sont des fées souples comme des roseaux et curieuses comme des chouettes.

Le chauffeur dit je suis heureux, je suis le premier qu'il verra. Il, c'est la petite fille.

Les fauteuils en cuir coquille d'œuf sont amples et confortables, ils dégagent une odeur de neuf, mélange d'air pressurisé de cabine d'avion et d'équipements électroniques tout juste sortis du carton, câbles attachés par des fils de fer gainés de plastique autour desquels de petites poches thermocollées restent hermétiques jusqu'à la nécessaire rupture. Elle prend le temps de s'installer, et pour la première fois attache sa ceinture à l'arrière d'un geste protecteur et décidé, sans qu'on le lui demande.

Ils indiquent leur adresse, et tout en prononçant ces mots durablement inscrits en eux à force de les dire, tandis qu'ils détachent les nombreuses syllabes toujours un peu récalcitrantes de *cent soixante-dix bis* en essayant de dissocier le *dix* du *bis* pour éviter d'avoir à répéter, ce qui s'avère pourtant nécessaire la plupart du temps, ils entendent soudain ce refrain sonner un peu différemment, comme renouvelé et relancé dans l'espace de la grande voiture par la présence des oreilles miniatures qui ne peuvent pas encore saisir le sens des mots mais sont de fait concernées par l'information : voilà où nous t'emmenons, c'est là que tu vas habiter.

La voiture traverse paisiblement les rues silencieuses du quartier de la Muette. Quelques rares passants marchent d'un pas régulier, vont d'un trottoir à l'autre en vestes bien coupées, en pantalons à pinces et mince revers cousu, en mocassins bateau et polos de couleurs pastel, ils se croisent sans se regarder comme des figurants expérimentés, habillés en coulisses par une costumière appliquée, fidèle jusqu'au moindre détail à son cahier des styles.

Après ces quelques jours passés dans la petite chambre aux teintes coordonnées avec pour seule option de promenade l'ascenseur au bout du couloir, elle éprouve une véritable euphorie à voir des gens libres de leurs mouvements, des chiens au bout de leur laisse, des visages inconnus qui chacun individuellement représentent un peu du fameux, de l'éternel, du mystérieux homme de la rue.

Pendant six jours, son œil s'est posé sur le mobilier et sur les quatre murs. Deux fauteuils jumeaux chocolat aux coutures surpiquées, un poste de télévision suspendu au-dessus du vide, une table à roulettes pour plateaux-repas toujours maladroitement placée au milieu du passage et jamais réglée à la bonne hauteur. Un manche articulé fixé assez haut sur le mur et défiant la gravité pour supporter le poids de l'écran seize neuvièmes, écran totalement plat mais pas parfaitement noir, jamais complètement éteint, prêt à se rallumer à la moindre pression du doigt sur la touche d'une télécommande, cette extension du bras tendu qui donne l'illusion gratifiante d'exercer un pouvoir souverain sur les appareils de hi-fi.

Des bruits de téléviseurs allumés dans les chambres voisines laissaient présupposer que quelques jeunes mamans étaient en train de bercer leur enfant le regard absorbé par ces images factices et sans doute déformées par le cadre panoramique. Peut-être voyait-on, pendant les spots publicitaires, des bébés internationaux sourire avec toute la bonne volonté de leur âge pour essayer de susciter l'envie d'acheter un assouplissant senteur printanière ou des rouleaux de papier extra-doux.

Son esprit est captif. Elle vérifie à chaque instant que l'enfant est réellement là, que tout cela est bien certain. À travers les petits yeux noirs ou bleu très sombre comme les fonds marins, elle se sent perçue comme une vraie mère. Cela suffit pour endosser son nouveau rôle avec un naturel qui la surprend.

Quelques années plus tôt, en remontant assez loin en arrière, il lui était arrivé plusieurs fois de contempler des heures durant un objet désiré, rêvé et enfin obtenu à force de supplications, le plus souvent un habit ou un accessoire que ses parents, lassés, avaient finalement consenti à lui acheter. Elle y avait pensé à longueur de journée en formulant des sortes de prières, s'était imaginée portant telle chemise militaire ou telle besace en toile avec la conviction que ces vêtements, par leurs vertus extraordinaires, allaient la transformer en être neuf et irradiant, lui permettre enfin d'intégrer le cercle ultra-sélect des modèles à suivre. Elle s'était vue portant les ballerines irisées repérées chez une camarade et aussitôt convoitées pour lui ressembler, elle s'était arrêtée longuement matin, midi et soir devant la vitrine d'une rue commerçante où était présenté un pardessus asymétrique de teinte mastic que son prix élevé rendait inaccessible, et par là même encore plus attirant. À présent, cet état de fascination pure lui rappelle ce temps-là : les heures passées à ouvrir de nouveau une boîte, à la fermer en écoutant le clic, à extraire l'objet de l'écrin, à le regarder pour la centième fois, à s'y arrêter, à y revenir, à admirer sans fin la forme d'un nouvel atour venu s'ajouter à sa collection.

Il devait être six heures du matin le troisième jour. Une sage-femme est entrée poussant devant elle le berceau transparent et les petites billes noires ont transformé l'endroit, ont empli la chambre de leur présence, une présence nouvelle qu'on n'attendait plus, qu'on avait attendue une partie de la nuit. À cet instant, la mère a compris qu'elle avait été solidement harponnée, qu'un fil translucide ultrarésistant la reliait à son enfant, un fil qui pouvait être estampillé d'une de ces marques aux sonorités phonétiques si naïvement charmantes dont elle s'amusait à collectionner les noms au gré des trouvailles sur les stands des puces : Kidur, Résistatou, Sédurobust.

Le soleil éclaire les immeubles, le feuillage vert-jaune des platanes, la surface de la Seine dont les soubresauts électriques font surgir à la chaîne de petites vagues nerveuses. L'eau en mouvement reflète la lumière aveuglante. Les gouttes qui naissent de cette danse énergique forment des nuées de paillettes scintillantes comme celles qui inondent les pupilles des lolitas de mangas japonais. Les couleurs paraissent plus intenses, plus profondes, plus joyeuses, même le vert éteint des lodens et la teinte feuille fanée des manteaux en poil de chameau, le bleu sévère des vestes matelassées. Les voitures semblent avoir été polies par un même chiffon sec, l'écorce ton sur ton des arbres alignés tout le long des quais se fond dans une superposition d'écailles en état de mue permanente, et d'immenses marronniers étendent leurs ramifications qui porteront bientôt des fleurs vaporeuses montées en cascades, seront-elles roses seront-elles blanches, on ne peut le savoir avant leur éclosion.

Le petit être aux mains ridées se tient blotti et peut-être endormi, la tête cachée par le haut col de la poche en tissu qui sert à le porter. Les yeux fermés, le nez appuyé contre la poitrine, bercé par le mouvement et les bruits du dehors, il ne voit pas le paysage urbain qui défile à travers la vitre.

Cela commence par des façades d'immeubles le long de la Seine. Le fleuve prend plus de place ici que dans d'autres quartiers.

Les larges baies vitrées aux étages élevés laissent deviner des panoramas inédits, la nappe fluviale, l'horizon sans limites. Depuis là-haut, le point de vue doit être idéal, se disent intérieurement bon nombre d'habitants de la ville habitués aux cours exiguës et aux fenêtres en vis-à-vis. En regardant ces vitres immenses, elle devine l'apaisement que procure la présence du ciel, l'étendue dégagée, le glissement muet des péniches. Chaque soir les voies sur berges évoquent une retraite aux flambeaux blancs d'un côté et rouges de l'autre, et par moments, l'avancée lente d'un bateau-mouche muni de projecteurs puissants balaye les façades plongées dans le noir et irradie les plafonds des appartements.

De la rive droite, on aperçoit un grand nombre d'immeubles d'une dizaine d'étages derrière lesquels se superposent les toits, des vasistas et des dômes à écailles percés de fenêtres en médaillon comme les yeux d'un poisson, et derrière les cheminées couronnées de cylindres en terre orange, les tours à motifs sériels du quinzième.

Les bateaux sur la Seine, les ponts, un ciel d'azur : des cartes postales en couleur. L'eau épaisse et boueuse n'a jamais semblé aussi pure. Quelqu'un, bientôt, va découvrir ce paysage. Ses yeux ne sont pas encore tout à fait au point, il est trop tôt pour le moment dans la voiture, mais tout ce qui défile est bien en place et sera là encore un bon moment, encore quelques semaines voire quelques décennies, pour être observé, détaillé, admiré, contemplé, et toutes ces choses l'attendent sans hâte, sans le savoir, elles vivent leur vie quoi qu'il arrive, elles se déplacent et évoluent, elles changent et ne changent pas.

L'œil se livre à un jeu qui consiste à repérer, parmi les hautes fenêtres des immeubles anciens, les rares carreaux ayant tenu le coup jusqu'à présent, les vitres d'origine en verre soufflé, reconnaissables à leur surface légèrement irrégulière et aux toutes petites bulles à jamais figées dans la masse.

Le contour de chaque feuille se découpe avec précision sur le fond bleu du ciel et les boules de poil à gratter appelées akènes se détachent bien distinctement. Elles penchent vers nous, c'est-à-dire vers le vide, comme vues à travers des lunettes 3D.

La femme observe l'extérieur avec une attention nouvelle, comme si le voile presque invisible qui s'était tissé au fil de ces dernières années avait disparu de lui-même.

Elle revoit ces voilages accrochés aux fenêtres des appartements bourgeois dans lesquels ils vécurent à l'ouest de la capitale. Malgré tout ce qui pouvait diviser ses parents, ils s'accordaient finalement assez bien sur les questions d'aménagement et avaient fait poser selon leurs goûts communs de grandes tringles en aluminium qui produisaient un bruit de rail lorsqu'on tirait sur le cordon, décalant toute une troupe de dominos serrés en ordre régulier. Pour laisser un peu de soleil entrer, il fallait actionner l'une des ficelles en essayant à l'aveuglette car rien ne les différenciait, et amorcer le plus souvent l'ondoiement souple du double rideau qui n'attendait que ça car on le sollicitait moins, puis recommencer à nouveau. Les voilages presque transparents laissaient percevoir l'extérieur mais filtraient la lumière du jour, dressant entre les occupants de la maison et la grande avenue haussmannienne une couche de synthétique laiteux, un calque entre l'espace public et l'intérieur qui accentuait encore l'absence de luminosité lorsque le ciel était uniformément blanc.

Aucun personnage caché en coulisses n'a frappé les trois coups pour annoncer l'apparition de ce nouveau décor pourtant presque identique au précédent. Quelque chose a bougé. Les meubles, le plancher, les objets, les affaires. Tout est bien à sa place mais la perception a changé. Entre le jour où ils sont partis en panique et celui où ils rentrent, pas beaucoup plus placides avec leur nourrisson, ils emménagent pour la deuxième fois dans le même espace. Après six jours d'absence, elle découvre avec étonnement la disposition de l'appartement, les obliques dessinées par le soleil à travers les fenêtres, la dimension des pièces, les proportions d'un meuble à portes coulissantes. Cette impression de renouveau lui rappelle vaguement les retours de vacances, lorsque la voiture empruntait les rues du dix-septième arrondissement après de longs séjours d'été à la campagne et que le trajet habituel, depuis le périphérique intérieur jusqu'à l'entrée de leur parking, la surprenait parce que toutes les affiches avaient été remplacées aux arrêts de bus et que les arbres avaient changé d'aspect. Sur les grosses branches noueuses régulièrement élaguées à la tronçonneuse, les moignons implorant le ciel, un feuillage vert acide avait poussé et débordé de tous côtés, épanoui comme une crinière hirsute sous l'effet du soleil.

Quelques semaines avant la date prévue, ils avaient commencé à rassembler des équipements, à récolter chez des amis dont les enfants sont déjà grands un lot d'affaires conservées dans les caves ou en hauteur

dans les placards. Ils ont profité de ces occa-
sions pour apprendre de nouveaux mots
qu'ils tentent quelquefois d'introduire dans
les conversations, autant pour s'y accoutu-
mer que pour voir si les autres en ont l'usage
aussi. Grenouillère, turbulette. J'ai dans
mon sac une turbulette. Certains ne relèvent
pas et poursuivent le cours de l'échange car
ils voient tout à fait ce dont il est question.
D'autres, au contraire, font des yeux étonnés et demandent de quoi il s'agit. C'est
un sac de couchage, vois-tu, ajusté avec des
bretelles pour que l'enfant ne se découvre
pas la nuit.

Ils ont dégagé quelques étagères occu-
pées depuis des années par des classeurs,
de grosses boîtes de rangement saturées
de papiers qu'il vaut mieux ne pas jeter
au risque d'en avoir justement besoin le
soir même, modes d'emploi d'appareils,
contrats, garanties, comptabilité. Ils ont

déplacé ces archives un peu plus en hauteur, ne sachant pas dans quelle trappe idéale les reléguer pour les oublier une bonne fois tout en les gardant à portée de la main. Ils cherchent à éviter l'enchaînement d'une série de gestes dont la seule pensée les épuise à l'avance : décrocher l'escabeau, le déplier en faisant attention, le transporter dans le couloir sans trop cogner les murs, le remettre à sa place au milieu des manches à balai prêts à dégringoler. Dans la buanderie baignée de chaleur humide, un tas de linge occupera désormais l'espace en attendant d'être plié. Il recèlera l'incroyable capacité, par son irrésistible pouvoir d'attraction, de vous détourner à toute heure d'autres tâches plus urgentes.

Sur les étagères ainsi déblayées, elle a posé les premières pièces d'une garde-robe non encore activée. Les vêtements soigneusement rangés comme derrière une vitrine portent en eux le présupposé de remplir bientôt leur office. Ils prendront leurs fonctions dès l'apparition sur la terre du nouveau corps à leur mesure. Elle s'appuie sur cette base tangible et sur l'absence de doute que la plupart des gens semblent éprouver face à son ventre gros pour s'en convaincre elle-même : les petits chaussons de poupée envelopperont bientôt de menus doigts de pied, ce n'est qu'une question de jours et ce jour-là a vraiment l'air d'arriver à grands pas si l'on en croit l'inexorable succession de ses nombreux prédécesseurs qui se sont suivis sans se ressembler.

Pour le moment, rien n'est plus sage et silencieux que les débardeurs en coton qu'on n'a pas envie de mettre en désordre, rangés par taille et par couleur, sans un faux pli, sans une peluche.

Ce bref anachronisme est nécessaire pour ne pas être pris de court, pour que l'enfant puisse être vêtu dès qu'il sortira. Il sortira, c'est dans l'ordre des choses, et il sera tout nu. Des effets personnels occupent donc déjà ses placards, comme si des malles de voyage l'avaient précédé. Lorsqu'elle remplit le sac avec les affaires demandées par la clinique dans une liste standard, elle se sent comme un imposteur, quelqu'un qui commettrait ce qu'elle a toujours entendu considérer comme une coupable imprudence, un péché d'optimisme et de trop grande sûreté de soi : avoir mis la charrue avant les bœufs, avoir vendu la peau de l'ours avant de le chasser.

Elle avait éprouvé la crainte d'annoncer trop tôt l'événement, de provoquer par sa joie impatiente un revirement négatif du destin. Il faut être discret, recommandent les médecins. Pendant trois mois tâchez de tenir votre langue. Ils ont de l'expérience, ils savent que rien n'est sûr et qu'une issue malheureuse est possible. Elle a déjà eu l'occasion de vérifier le bien-fondé de cette réserve, lorsqu'il fallut faire une désannonce quelques semaines après avoir soulevé des hourras dans leur entourage.

Dans une boutique de tongs, seules chaussures qu'elle pouvait encore porter au fur et à mesure que la chaleur estivale augmentait et avec elle sa circonférence de cheville, la vendeuse lui avait offert une aumônière porte-bonheur à ne surtout pas ouvrir avant la naissance. Elle avait conservé cachée tout au fond d'un placard cette variante inversée de la bombe à retardement, menace par anticipation qui ne semblait conçue que pour tester sa résistance à la curiosité. Des conséquences fâcheuses pouvaient découler de la tentation d'entrevoir avant l'heure le contenu de la pochette. On risquait d'attirer le mauvais œil ou d'infliger un préjudice à son enfant, ou d'être changée en statue de sel et par conséquent, châtiment suprême, de faire encore plus de rétention d'eau.

Après l'arrivée de l'enfant, ils s'amuse-
ront régulièrement à se tester l'un l'autre, à
formuler des interrogations sous forme de
défis : avant, comment se passaient les jour-
nées ? Quel était notre emploi du temps ? Par
jeu, ils essaieront de retrouver la mémoire
immédiate de ce passé pourtant déjà loin
d'eux, de se glisser un bref instant dans leur
ancienne peau de jeunes gens. Ils ne savent
plus comment c'était de n'être responsables
que d'eux-mêmes. Ils se questionnent mais
ils ne peuvent revivre cet état comme on
enfilerait un vieux vêtement retrouvé par
hasard.

Bientôt, ils verront que l'enfant aussi
connaît des phases de retour en arrière, des
sursauts nostalgiques. Ils assisteront étonnés à quelques tentatives désespérées de
rétrogradation. Pourquoi essaye-t-elle de
se glisser dans son premier couffin devenu
trop étroit ? Cela provoque une crise de
rage parce que les jambes ne rentrent plus,

que la tête dépasse elle aussi, comme si elle essayait de se cacher intégralement sous un mini-mouchoir de poche.

L'effort mental qu'il faudrait faire ressemble trop à une tentative d'effacement, ils ne veulent pas, même en pensée, devoir la faire disparaître une seconde, et pourtant ils se demandent bien comment était leur vie il y a encore deux mois. De toute façon, la sidération est trop grande pour arriver à effectuer cette simulation du passé. Leur esprit, désormais, est occupé par cette sidération.

Quelques images arrivent dans le désordre, impressions, bribes rangées sans logique apparente. Il y en a un nombre fluctuant, des empilements, des juxtapositions. Bien sûr, l'enfant petit agit comme un révélateur. Ils pensent à des situations dont ils ne peuvent eux-mêmes se souvenir. Ainsi mes parents jeunes mariés ont effectué ces gestes, ont eux aussi eu peur de mal s'y prendre, ont été inquiets, fascinés, ont appris dans l'action. Ils se sont réveillés la nuit, ont pris sur eux pour essayer de garder les yeux ouverts, ont fait au mieux pour chanter des berceuses d'une voix désaccordée.

Eux aussi ont vécu en permanence avec au bout du bras une serviette en papier, un linge ou une éponge : de quoi absorber les fluides ayant fait demi-tour pendant leur progression vers l'estomac, les petites formations visqueuses constellant le plancher, les épanchements issus de gestes encore mal mesurés. Eux aussi ont sans doute récolté à genoux les grains de riz éparpillés par terre. Ils ont failli perdre patience, nous ont prévenus une fois, deux fois, trois fois et se sont vus contraints, malgré leurs idées progressistes et leurs intentions non violentes, à se faire comprendre à la fin en nous administrant une claque. Ils se sont sans doute sentis mal après. Ils ont maladroitement essayé de réparer les gestes impulsifs par des mots. Ils nous ont bercés, consolés, et nous les avons vus un peu comme des héros. Lorsque le père rentrait le soir avec sa serviette remplie de dossiers, nous courions en hurlant de joie depuis l'autre bout du couloir. Ces scènes-là aujourd'hui paraissent presque inventées.

Le taxi roule le long des quais et elle admire le moindre réverbère avec les yeux d'une touriste enivrée, les oiseaux citadins miteux et claudicants, les papiers gras collés aux bouches d'aération : elle est en pâmoison devant le décor qui défile. Elle voudrait tout embrasser du regard, retenir chaque image. Elle se demande si cet émerveillement peut se communiquer par contact physique au petit enfant qui somnole.

Elle veut garder un souvenir de tout ce qu'elle voit, les balustrades, les grandes façades qui s'élèvent le long de la Seine comme des falaises en pierre de taille, les stores orange, les stores bleu roi, les rideaux jaunes, les voitures qui avancent de part et d'autre et leur donnent l'impression d'appartenir à un mouvement commun. Des bus, des camions, des taxis, des véhicules de nettoyage de la voirie avec leurs balais concentriques au ras du sol et un mince filet d'eau qui n'en finit pas de couler, des mobylettes de livreurs lancés à tombeau ouvert qu'un panneau fixé sur leur coffre invite à dénoncer par un « que pensez-vous de ma conduite ? ». Bicyclettes équipées d'un fauteuil enfant en plastique moulé, scooters capsules conçus comme des habitacles solides pour hommes d'affaires en costumes sombres et parkas intégrales assis sur du cuir fauve. Enfin, une camionnette de jardinier hérissée de râteaux rangés la tête en haut et de ramasse-feuilles crochus comme des doigts de sorcière.

Ils sont pris dans le flot. Une intuition lui fait deviner qu'il faudra d'ici peu être en mesure de fournir des explications, un nombre exponentiel d'éclaircissements et d'exposés sur la réalité qui nous entoure, des réponses claires sur l'attraction des corps entre eux, sur la distribution des conditions de l'atmosphère terrestre, sur le système solaire, le parallélogramme des forces, la perception visuelle de la répartition spectrale de la lumière, des phénomènes qu'elle connaît plus ou moins intuitivement mais dont elle a conscience que l'origine scientifique lui échappe. Toutes ces questions lui feront prendre la mesure de son ignorance dans beaucoup de domaines. Ses réponses ne seront pas toujours très claires ni convaincantes, et elle sera troublée par l'opiniâtreté indéfectible de l'enfant, le retour incessant de ses demandes réitérées comme si l'explication fournie n'avait pas satisfait. Son utilisation occasionnelle d'un définitif *c'est comme ça* n'aura pas pour effet de clore l'affaire une fois pour toutes et ne fera qu'alimenter la cascade d'interrogations. L'enfant aura toujours le dernier mot, et pourquoi et pourquoi.

Cela arrivera plus vite qu'elle ne le pense. C'est une vérité qu'on lui répétera souvent, dans les transports, au marché, dans la rue : ça va trop vite profitez-en, profitez-en ça va trop vite, quelquefois teintée d'une nuance amère liée sans doute à des déceptions : il faudrait que ça reste tout le temps petit.

Tout de suite elle voudra ressortir, poser le pied dehors munie de la poche harnais matelassée bien fixée aux épaules et autour de la taille pour transporter la nouvelle arrivante dont on peut voir les mains flotter dans l'air de part et d'autre et remuer les doigts comme en apesanteur, ces extrémités minces toutes plissées et marbrées aux ongles exagérément longs. Il est prudent d'attendre un mois au moins, disent la plupart des forums consultés, avant de couper ces jeunes griffes encore trop élastiques. C'est en accomplissant les premières fois cette opération délicate que la mère, soit dit en passant, verra le temps venu de commencer à porter des lunettes.

Elle voudra s'élancer à travers les rues et se sentir aussi brave qu'une figure de proue. En franchissant le porche de l'immeuble, avant de se retrouver au grand air, elle entendra l'enfant prendre une immense inspiration comme avant de sauter dans le vide, un son aigu venu du ventre et filant vers le haut, un sifflement pyrotechnique à peine audible au milieu des bruits de moteurs, des voix, du bip d'ouverture de la porte. Elle sera seule à entendre ce *Iiiiii* que la fonction enregistreuse d'un téléphone même très intelligent n'aurait sans doute pas pu restituer fidèlement ni isoler de la rumeur ambiante.

Le premier trajet qu'elle fera à son retour de la clinique sera pour aller au grand magasin rayon hygiène et habillement. Elle arpentera le trottoir de son vieux faubourg devenu trop familier à force de répétition des trajets quotidiens, mais elle sera cette fois dans l'état euphorique d'une voyageuse tout juste arrivée de l'aéroport, débarquée au centre d'une ville et partie explorer à pied les environs de son hôtel, le cœur gonflé d'excitation, enivrée par le changement d'air, les impressions nouvelles et la foule animée.

Elle verra le soleil se refléter dans les vitrines, les silhouettes des passants se découper en contre-jour, les bacs de marchandises à prix cassés débordants de chaussures. Elle se sentira libre, altière et souveraine en allant au supermarché pour y acheter une gaine de grand-mère couleur chair bien ajustée au-dessus du nombril.

Les petites mains attireront d'autres mains constellées de taches de vieillesse, des pouces fripés, des phalanges tordues par l'arthrose, des annulaires ornés d'alliances portées pour la première fois cinquante ans plus tôt, de doigts majoritairement féminins qui viendront prestement établir un contact avec le poignet rebondi comme pour saisir un peu de sa jeunesse, intercepter une once de ses ondes bénéfiques.

Elle entendra quelquefois dire j'ai les mains propres. Cela signifiera ne vous inquiétez pas je connais, je suis avisée, je sais qu'il faut veiller à limiter la libre circulation des saletés, la danse des bactéries qui volent partout dans l'air, invisibles à l'œil nu. Vous savez, j'ai tant de petits-enfants alors je sais ce que c'est et d'ailleurs je joins maintenant le geste à la parole après vous avoir rassurée sur mon hygiène de vie, je peux sans crainte faire une petite caresse.

Tout le monde ne sera pas aussi précautionneux. La mère prendra sur elle devant les doigts crasseux, les ongles noirs, les bouches pas nettes de ceux qui se précipiteront pour embrasser l'enfant dans un élan de spontanéité. Elle adressera un sourire mitigé à l'un des gaillards du marché, colosse au front bas et aux yeux étranges lorsqu'il dira moi j'adore les bébés.

Elle aussi, un jour, répétera cette phrase : ah oui, je sais ce que c'est, signe d'appartenance et de reconnaissance avec le reste des parents. Une formule qu'on prononce en hochant doucement la tête, l'air héroïque et la paupière tombante, une façon de se plaindre tout en étant fiers, de partager implicitement une expérience que seuls ceux qui sont passés par là peuvent comprendre. Cela conforte, on se sent moins désemparé : ainsi vous aussi vous êtes exténués. Donc je ne suis pas le seul à friser la crise de folie, à avoir senti l'exaspération monter. Vous aussi, vous avouez.

Elle participera à des conversations où il sera question de l'attraction tactile qu'exercent les petites mains d'enfant mais aussi le ventre des femmes enceintes. Certaines, catégoriques, se souviendront qu'elles ne supportaient pas. Elles diront les gens se permettaient de me toucher comme si mon corps était public. Des passagers dans le métro, de parfaits inconnus, des membres de ma belle-famille. On me posait carrément les deux mains sans me demander mon avis. Elle, au contraire, doit dire qu'elle n'a pas détesté cette soudaine familiarité. Elle était même plutôt flattée qu'on la considère comme une amulette, d'avoir le même succès qu'un pompon de marin ou qu'une table en bois. Elle éprouvait soudain ce dont ne pourront jamais témoigner les gisants dans leurs basiliques, le boutoir porte-chance du petit sanglier en bronze, les excroissances des statues lustrées et polies par d'innombrables paumes. Elle était très émue devant cette fascination primitive pour le corps féminin en état de métamorphose, le réflexe enfantin de vouloir toucher pour y croire. L'émerveillement était constant, toujours recommencé, comme si ce phénomène pourtant vieux comme le monde ne pourrait jamais devenir banal.

Une fois franchie la ligne sans retour vers le monde extérieur, lorsque le futur être est passé au présent, l'étonnement continue mais d'une autre manière en croisant les regards des passants dans la rue. Elle constate en effet un bond très net du nombre de sourires et d'œillades bienveillantes glanées à la moindre sortie, un regain d'intérêt qui, avec le recul, lui fait penser qu'on la considérait peut-être comme quelqu'un de louche, de vaguement égoïste et sans doute peu recom-

mandable. Sa voisine du dessous, avec qui
les rapports tendus s'étaient jusqu'à présent
limités à des criailleries lorsqu'un surplus
d'eau gouttait sur ses plantes, en vint même
à sonner pour remettre un cadeau. La dame,
âgée et un peu sourde, n'en finissait pas de
se réjouir et de féliciter les jeunes parents, de
leur rappeler à quel point ils étaient chanceux et comme elle aurait aimé elle aussi
mettre au monde une fille. Cela finissait par
devenir étrange car elle répétait inlassable-
ment ah vous en avez de la chance, c'est une
bonne nouvelle, oh j'aurais tant voulu avoir
une fille, c'est... pour une mère c'est ce
qu'on peut rêver de mieux, mais voilà j'ai eu
un garçon, qu'est-ce que vous voulez hein,
on ne choisit pas. C'est comme ça, c'est la
vie. Vous avez de la chance, ah c'est un beau
bébé. Elle est belle hein, c'est une belle poupée. Sa voix aiguë de titi parisien portée au
maximum de son volume résonnait dans le
hall et les couloirs à faire trembler les morts,

et chaque fois que les jeunes parents, après avoir poliment acquiescé et souri benoîtement, refermaient la porte palière, ils avaient une pensée discrète pour le fils unique de cette femme, un homme sans doute déjà âgé pour qui ça n'avait pas dû être drôle tous les jours d'entendre jusqu'à maintenant exprimer autant de regrets.

Elle découvre chez une grande partie de la population une inclinaison commune à l'attendrissement, une promptitude à distribuer des sourires bienveillants, l'envie d'établir une complicité fugace au milieu de la rue, sur un quai de métro, au café, n'importe où, ou à vouloir développer les échanges par des concours d'imitations et de mimiques dont aucune des parties ne semble se lasser. Lorsqu'il faudra lever le camp, le parent trouble-fête, pressé par un rendez-vous plus ou moins fictif, suggérera d'adresser un au revoir et l'enfant agitera la main encore un bon moment, le plus longtemps possible, jusqu'à la disparition dans son champ de vision de l'adulte joueur.

Il y a toutes sortes de gens. Des femmes, des grands-mères certainement, des parents, des grands-pères. Des gens dont les visages peu avenants ou assombris par les soucis se transforment d'un coup. Deux petites dames octogénaires aux boucles crêpées mauves qui trottinent nerveusement pour voir d'un peu plus près le nez mignon et la bouche délicate, poussent des exclamations tout en s'accusant mutuellement de projeter des postillons néfastes. Elles se renseignent sur l'âge et le nom, le sexe étant déjà implicitement déterminé par le bonnet rose dragée à pompons, et une fois ces réponses données il est toujours un peu compliqué de poursuivre, on ne sait pas très bien quoi demander de plus, elles auront sans doute oublié une fois passé le coin de la rue mais le temps d'une rencontre ces présentations ont compté pour elles toutes, pour ces mamies qui voulaient s'approcher et donc en savoir plus, pour la mère qui n'est pas lassée de décliner fièrement les mêmes informations et espère au passage récolter quelques compliments sur le choix du prénom, et pour l'enfant qui doit bien sentir l'intérêt que tous ces anonymes lui portent et percevoir l'admiration qui fuse dans ces *oooo* et ces *ââââ*.

C'est un échange tacite. Pour pouvoir regarder, satisfaire sa curiosité, il faut poser quelques questions d'usage, montrer qu'on s'intéresse. Cela fait plaisir aux parents qui soulèvent alors la capuche pour montrer la figure plus ou moins endormie, et en retour il est bien venu de faire un commentaire aimable.

Elle n'a jamais autant parlé avec des inconnus. Un vieux monsieur qui de toute évidence préfère la vodka au petit-lait et part dans un grand numéro d'imitation d'oiseaux en formant un appel avec ses doigts, un père intarissable sur ses fils casse-cou, une femme voilée au regard un peu las qui répète plusieurs fois si petits ils sont innocents... c'est encore innocent...

Dans sa chambrette à la clinique, une sage-femme appelée *via* la ligne interne était venue à la rescousse. La jeune maman au bord des larmes avait confié son désarroi de ne pas arriver seule à effectuer le geste ances-tral et vital de mettre son enfant au sein. Des actions simples à la portée de toutes, des mouvements intuitifs, de vieux réflexes ins-crits en nous depuis tant de générations qu'il devrait être naturel de les reproduire sans apprentissage. Elle avait pourtant assisté aux cours préparatoires dispensés par une conseillère qui leur avait montré comment s'y prendre, une poupée entre les mains. C'était bizarre, un peu embarrassant, de se retrouver au milieu de ces autres femmes toutes proches de l'éclosion, rassemblées dans une salle jonchée de tapis de sol et de boudins en polyester, certaines affalées sur le flanc, assises au sol jambes écartées et ventre au centre, installées comme elles le pouvaient tels les personnages gourds de Brueghel au pays de Cocagne. Elles échangeaient peu de regards, pas spécialement de sympathie. Chacune semblait exclusivement absorbée par son cas et espérait sans doute connaître avant la fin de l'heure sa minute de consécration en étant désignée au hasard dans le groupe pour révéler la date prévue du terme ou autre information y afférente. Certains futurs pères étaient là et les couples arrivés ensemble affichaient des mines concentrées. Tout le monde écoutait avec une attention spéciale les conseils dispensés par cette femme d'expérience dont le physique était d'ailleurs parfaitement taillé pour le rôle : un buste impressionnant et un peu d'embonpoint, une peau laiteuse inondée de taches de rousseur, le cou fort et les épaules rondes. Nul doute que jadis elle aurait pu exercer le métier de nourrice et prodiguer vigueur, lait et chaleur humaine à de petits êtres affamés venus s'échouer sur sa poitrine.

Une fois passée la théorie et à présent qu'il s'agissait d'affronter la pratique, les choses ne se déroulaient pas à cent pour cent comme annoncé. Elle était totalement désemparée de ne pas arriver à relier de façon convaincante la bouche hurlante du nourrisson avec son poste de ravitaillement.
　　La femme en blouse lilas était venue l'aider et avait eu un geste élémentaire, si simple qu'il semblait absurde, le problème une fois résolu, de l'avoir convoquée pour ça. Sa bienfaitrice l'avait tranquillisée comme savent le faire les praticiens, avec calme et douceur pour désamorcer la tension.

Elle lui avait aussi transmis quelques conseils : boire beaucoup, consommer des fruits. Éviter les kiwis et autres variétés acides. Pastèques, melons, melons, pastèques. La mère au sourire retrouvé avait précisé dans mon quartier ce n'est pas ce qui manque. Et une conversation s'était engagée à propos de Paris, des faubourgs, des marchés, de la foule en mouvement, des rues remplies de monde qu'elle avait hâte de retrouver dès qu'elle pourrait quitter cette chambre à l'autre bout de la capitale.

Le marché de la place, la sage-femme le connaissait bien. Elle avait vécu dans ce quartier par le passé lorsqu'elle était mariée. Elle aussi aimait cette ambiance, les cageots de tomates, les pyramides d'agrumes, les masses monumentales de menthe que le marchand enveloppait de papier journal, la cohue affairée et les vociférations des vendeurs répétant leurs slogans toujours sur le même ton pour qu'ils viennent s'incruster le plus efficacement possible au creux de votre oreille. Au choix les anchois. Allez on choisit làààà.

Elle avait aimé ce vacarme, l'affluence continuelle, la cohue infernale, et son mari y avait travaillé mais depuis son décès elle n'était plus jamais revenue. Profitant d'un moment tranquille, tant que personne ne l'appelait dans les chambres voisines, elle en dit un peu plus. C'était trop dur pour moi de rester dans l'appartement, tout me rappelait ma vie d'avant. Heureusement mon tonton s'est occupé de moi. Il m'a incitée à déménager, à trouver un nouvel endroit et à ne plus revenir avant quelques années. Il ne m'a pas laissé le choix. Si mon tonton n'avait pas été là, je ne sais pas comment j'aurais fait.

Et l'accouchée écoute cette femme du même âge qu'elle ou à peine un peu plus, cette amie d'un seul jour qu'elle perdra de vue le lendemain sauf modification du planning des équipes, lui raconter avec une simplicité poignante le drame qui l'a laissée inconsolable il y a des années. Entre deux recommandations sur les aliments conseillés, elle lui révèle une partie de sa vie passée, du chagrin qui l'a envahie au point de n'avoir pu revoir ce coin-là de Paris, du vœu émis, encouragée par un proche avisé, pour se préserver d'une trop vive souffrance.

Elle se demande comment cela doit être de fermer les yeux sur une zone entière de la ville, d'orienter son regard sur un plan de métro afin d'éviter une portion entière de la longue ligne mauve, d'inventer des détours pour ne plus traverser ce coin devenu un pays à part.

Elle voudrait lui proposer d'y aller ensemble. Quand je serai rentrée, ce serait bien que vous puissiez venir, vous trouverez le quartier changé et avec un peu de chance vous direz je ne reconnais rien. Ce sera une bonne chose, même si vos souvenirs sont sûrement bien présents. Les nouveaux magasins détourneront votre attention, les cafés entièrement refaits vous feront oublier ceux que vous connaissiez.

Nous pourrons boire le thé en observant le va-et-vient des livreurs de légumes. Vous serez peut-être heureuse de retrouver certains visages resurgis du passé, des têtes connues derrière leurs étalages, presque inchangées, tout juste un peu chenues.

Deux femmes discutent. L'une va bientôt conduire l'enfant qu'elle vient de mettre au monde dans un appartement de cette partie de la ville : c'est là qu'il verra d'ici peu les premières images aux contours précis après quelques semaines à percevoir des formes floues, c'est là qu'il fera la plupart de ses expériences archaïques. Son regard se posera partout sans faire de tri, détaillera avec minutie la moindre miette de pain, le moindre morceau de papier froissé, le moindre confetti, et il s'intéressera autant sinon plus à la grille du zoo qu'à l'animal discrètement caché derrière.

L'autre au contraire, préfère rester loin de ces rues aimées qui lui rappellent son autre vie. Sur les façades, les vitrines, les portes d'entrée, elle sait qu'elle ne pourra s'empêcher de projeter ses images-souvenirs.

Elle se confie sans doute parce qu'elle éprouve elle aussi de la sympathie. La mère, touchée et étonnée, reçoit cette confiance et ne sait pas comment la remercier. Elle se dit j'achèterai des douceurs orientales dans le meilleur salon de thé et je viendrai les déposer sur une tablette à l'entrée de la nursery. En lisant l'adresse imprimée en lettres dorées sur fond noir, elle comprendra que c'est pour elle. Cela lui rappellera notre conversation et elle pourra peut-être envisager de renouer un lien avec cette partie de l'arrondissement, un début de retrouvailles possibles. Ce sera comme si la rue elle-même lui adressait une carte avec pour message affectueuses pensées sous forme de boîte de gâteaux. Et puis elle se dit, oui mais comment savoir si elle travaillera ce jour-là, si ses collègues ne vont pas ouvrir le paquet sans saisir le message. Ajouter un petit mot serait trop appuyé, et le reste du groupe risquerait de ne pas comprendre, il faut bien sûr adresser ce cadeau à toutes et tous sans distinction. L'idéal serait d'arriver à un moment où tout le monde est réuni. Des pâtisseries leur feront certainement plaisir, mais pour l'une d'elles ces poires en pâte d'amandes et ces tranches de pastèque à la fleur d'oranger auront un goût particulier.

Mais finalement, les premiers jours, les jeunes parents sont pris dans un vortex spatio-temporel qui les absorbe totalement et elle laisse passer un peu trop de temps pour que cela ait encore du sens d'adresser un signe. Tant de nouveaux bébés ont dû naître depuis, des visages se sont succédé, tous plus jeunes les uns que les autres. Elle a peur que cela ne tombe à plat ou d'arriver à un moment où aucune auxiliaire qu'elle connaît ne sera présente à l'étage. Elle se voit arriver, son assortiment à la main, après avoir traversé Paris avec son enfant, la fine lanière du sac lui glissant de l'épaule, le cabas rempli de langes glissant de l'autre épaule, débarquer sans avoir pris rendez-vous au milieu de l'agitation à un moment où personne ne sera disponible. Elle garde donc son idée à l'état d'idée et se contente de jouer plusieurs fois la scène en imagination, mais elle voudrait que malgré tout, en dépit du côté virtuel de sa visite et du carton de friandises, la chère sage-femme lui fasse la bonne surprise d'apparaître un jour au coin de la rue.

Elle met un certain temps à pouvoir dire ma fille. Cela ne lui vient pas naturellement. Même après la naissance, elle n'est pas sûre de pouvoir prononcer ces mots. Il faut que les autres les disent d'abord. Elle a besoin de les avoir entendus plusieurs fois, notamment par des mandataires de l'autorité administrative, et s'assurer qu'il n'y a là aucune entourloupe avant de les répéter à son tour. Pendant de longues années elle est restée comme une enfant. Elle admirait et enviait ces femmes qui selon l'expression donnaient la vie, nourrissaient, choyaient, habillaient et élevaient des êtres humains. Un très grand nombre d'entre elles le faisaient, et même quelques-unes qui ne l'avaient pas voulu. Elles avaient atteint l'autre bord, le pays fantasmé. Un territoire situé presque à portée de la main mais séparé par une ligne invisible absolument infranchissable. Une ligne mentale, une frontière blanche et continue tracée dans son esprit il y a bien des années par une partie d'elle-même, la partie en retrait, négative, défaitiste. Elle est persuadée qu'elle ne pourra jamais tenir ce rôle. Elle le pense : ce n'est pas pour moi. Ce n'est pas l'envie qui lui fait défaut, oh non bien au contraire. C'est une croyance profonde. Un manque d'identification pure et simple avec cette image. Ceci est un monde de vraies femmes et elle est bien trop loin derrière. Sa propre mère a disparu si tôt, elle ne peut absolument pas se voir à la même place. Surtout pas quand le père essaye de l'y pousser avec des mots très mal choisis. Il décide en effet, dans un réflexe pragmatique peu après l'enterrement, de la promouvoir remplaçante, figure maternelle de substitution pour son frère et sa sœur. Mais ce qu'elle voit surtout dans ce remaniement hâtif, c'est son devenir épouse d'un homme qui est son géniteur. D'ailleurs il confond souvent les prénoms et commet des lapsus énormes.

Pendant quelques années, elle s'est retrouvée prise dans un lacis d'options contraires. L'envie profondément ancrée de connaître un jour cette joie était éclipsée par une détermination à accomplir d'abord des choses dans le champ du travail. Parmi les filles de sa génération, beaucoup ont comme elle eu besoin de s'affirmer à travers leur activité, quel qu'en soit le domaine, pour exister professionnellement et pas seulement par la famille.

Elle ne voulait surtout pas imiter sa mère, mariée très jeune et aussitôt enceinte, une fois deux fois trois fois, ce qui au fond n'était déjà pas mal se dit-elle à présent que c'est son tour et qu'elle comprend, comme beaucoup d'autres filles de sa génération après avoir accompli un bout de parcours et se décidant sur le tard, que les choses ne vont sans doute pas se dérouler comme espéré.

Elle aura l'occasion de mettre à l'épreuve ses motivations et de puiser dans une réserve insoupçonnée de cran face à l'insoumission de la nature.

Finalement une veille de Noël, elle se rend sans oser y croire dans un laboratoire. La préleveuse, d'humeur espiègle, lui dit eh bien vous l'appellerez Jésus.

Pendant toutes ses années d'études, elle a vu des hommes compatir lorsque leurs collègues femmes annonçaient l'arrivée d'un événement heureux. Cela allait immédiatement anéantir leur carrière prometteuse et assécher leur créativité. Elles allaient faire une chute vertigineuse, se brûler les ailes comme Icare. Elles avaient commis une erreur naïve et en seraient bientôt punies. Plus de gloire, plus d'avenir, c'en était bien fini de leurs aspirations. Silencieusement, elle refusait de croire à ce funeste oracle en ayant tout de même un peu peur. Il faut dire que parmi les exemples présents autour, notamment chez les professeurs

de l'école d'art, les modèles d'une génération au-dessus qui avaient dû batailler dans
ce monde viril, aucune artiste ou presque
n'avait eu d'enfants. Elles voyageaient, se
tenaient au courant, volaient de projet en
projet et sortaient presque tous les soirs mais
n'auraient sans doute pas pu faire tout cela
aussi pleinement avec des âmes à charge.

Elle s'habitue peu à peu à son nouveau titre à force de le dire ou de l'entendre
dire. Un jour, l'enfant lui-même commence
à l'appeler maman. C'est une fête que
d'entendre cette petite voix, surtout quand
elle insiste en réclamant la même chose plusieurs fois depuis un bout de l'appartement.
L'enfant répète tout ce qu'il entend, ce
que les autres lui apprennent. Parmi les premières informations simples, il comprend
le lien familial, la différence entre grand et
petit. Il ne peut s'empêcher d'appliquer ses
observations à ce qu'il voit autour de lui

en trouvant des rapports de parenté dans tout. Sur une pelouse du square, un moineau boitillant convoite le même quignon crasseux qu'un corbeau agressif, les deux étant évidemment en guerre selon l'avis expert de l'adulte expérimenté et sans trop d'illusions sur la philanthropie naturelle des espèces. L'enfant, lui, dit : c'est le bébé et là c'est sa maman. Mêmes assertions sur les objets : cailloux, voitures, fleurs, légumes, fruits. Une petite pomme fripée aperçue sur un étalage est, selon cette grille d'interprétation, la dernière-née de l'arbre généalogique, et les deux Granny Smith luisantes et calibrées au teint uniformément vert en sont les bienheureux parents. Le gravier ramassé sur un parking forme aussi une lignée. Heureusement qu'une main infatigable est là pour les réunir à nouveau parmi tout ce chaos et retrouver, grâce à un recoupement de ressemblances physiques, les représentants dispersés d'une seule et même famille. Elle les dispose en ordre sur un banc et désigne, sûre d'elle, les membres du clan réuni. Même les feuilles mortes fonctionnent en trio. Toutes plates et desséchées qu'elles soient elles mènent une vie proche de la nôtre et vont aussi se promener au parc avec leur râteau et leur pelle.

Quelques jours après la naissance, le père regarde un film sur l'ordinateur, le cordon blanc des écouteurs relié à chaque oreille. Il débranche le câble et augmente le son. Sur l'écran, des taches de soleil en mouvement scintillent dans l'eau bleue d'une piscine. Puis apparaît le profil d'un jeune homme dont le regard est caché par des lunettes noires. Il bronze, et se laisse dériver sur un matelas pneumatique. C'est un tube qu'on identifie dès les premières secondes. Une chanson entendue tant de fois qu'elle replonge instantanément dans des émotions pures, éloignées dans le temps mais presque encore intactes. Une chanson qu'on ne peut s'empêcher de réciter par cœur au moment du refrain. Elle est comme un vieux camarade parti habiter loin, un frère de lait qu'on se réjouit de retrouver lorsqu'il passe épisodiquement et qu'on attire à soi en serrant le plus fort possible.

Hello darkness my old friend, I've come to talk with you again. Ils font entendre à leur enfant les douces voix de Simon et de Garfunkel, et les larmes lui montent aux yeux en réécoutant ces paroles à cet instant précis où se produit une superposition de leur passé, pour ne pas dire de leur jeunesse, qui flotte déjà là-bas au loin comme un pack de glace isolé, un morceau de la banquise parti à la dérive, et le futur de la petite promis à de grandes expériences et à des découvertes inoubliables.

Bientôt, ils la bercent en lui fredonnant cet air. Pour calmer les cris ou les pleurs, ils se bercent eux-mêmes d'illusions en espérant que *The Sound of Silence* aura des vertus apaisantes et l'effet magique promis par son titre.

Elle remarque aussi le besoin irrépressible qu'ont beaucoup de gens de vouloir proposer leur interprétation face aux cris d'un petit, de vouloir dire pourquoi un enfant hurle. Peut-être leur est-il insupportable de ne pas savoir et de rester passifs face à l'expression évidente d'un tourment ou d'un inconfort : ils essayent au hasard d'avancer des raisons pour trouver un lien de cause à effet.

Il a trop chaud. Il a trop froid. Il est fatigué. Il a faim. Ce sont toujours un peu les mêmes. Malgré le côté tirage au sort, cela rassure les natures inquiètes. On se sent un peu mieux face au mystère, à l'impossibilité de comprendre : un antidote pourra forcément remédier à cette crise passagère. Par exemple dormir, manger, enlever un vêtement, ajouter une couverture. On se console avec des diagnostics en ayant l'air de détenir la vérité grâce à un sixième sens et un peu d'expérience. On voit et on devine beaucoup mieux que quiconque, y compris les parents.

En dernier lieu, comme un joker, un argument revient que personne ne peut contredire. Il ou elle fait ses dents.

Un soir chez des amis, l'enfant dort sur le grand lit de la chambre et se réveille tout d'un coup en hurlant. Rien ne l'apaise, ni tétée ni petite chanson. Le père dit c'est l'apparition de la conscience. Eh oui, il faut bien qu'elle arrive un jour et forcément, cela fait mal. Les hôtes supposent que c'est l'odeur inhabituelle de leur maison, un invité pense que c'est un cauchemar, chacun avance une hypothèse en espérant tenir un début de réconfort mais personne n'en sait rien et personne n'y peut rien. Il faut tout simplement lever le camp en catastrophe et dévaler les six étages en veillant à ne pas glisser sur l'épais tapis d'escalier ni sur les marches en bois généreusement cirées, la poussette pliée d'un côté, les manteaux en tas sous un bras et contre la poitrine l'enfançon rugissant en train de prendre la mesure, peut-être, c'est possible, de certaines choses amères comme l'éloignement physique du foyer, le fait d'être embarqué pour une bonne partie de sa vie avec des parents et leur entourage, et aussi le pressentiment, grâce aux indices fournis par les conversations, les rires, la bonne humeur, qu'un monde existait avant lui, que tous ces gens se connaissaient avant et n'ont pas attendu son arrivée, même s'ils l'ont espérée longtemps, pour partager des souvenirs. J'existe et je n'existais pas. J'arrive donc un peu des abysses, comprend-il peut-être déjà. J'aurais tout aussi bien pu ne pas être là.

C'est ce qu'ils avaient vu sur les premières images de l'écho doppler dernier cri montrant un organisme à peine formé à l'intérieur de sa caverne. Une figure encore mal dégrossie, un Golem modelé par des mains malhabiles en train de s'extraire du néant et de se cramponner au-dessus du gouffre.

Bientôt, pour le père et la mère, une vie parallèle parsemée d'accidents se déroule en pensées, en visions de cauchemar. Les scénarios catastrophe qu'il leur arrivait d'élaborer dans le secret de leur esprit par pur réflexe fataliste, ils les écrivent désormais par dizaines. Ils ne peuvent plus vivre autrement qu'en tremblant par avance. Tout est vu d'une autre manière, potentiellement douloureuse et tragique. Dans une porte on se coince les doigts, du haut d'un lit on se casse quelque chose, sur un four on se brûle, avec une rallonge on s'électrocute. Ne mets pas tes pouces dans la prise, ne fais pas comme maman quand elle avait ton âge. Ils n'avaient plus conscience du danger des objets.

Ils ont peur pour l'enfant et ils ont peur pour eux. Maintenant que ce nouveau lien est tissé, ils imaginent quelle douleur les affecterait s'il arrivait la moindre chose. Derrière ce quelque chose il peut y avoir tellement de choses.

Ils se prennent à anticiper d'horribles drames en imaginant des situations qu'ils redoutent plus que tout. Ils passent leur temps à projeter des images effrayantes tout en essayant de les conjurer, de les effacer de leur tête.

Un soir, la mère est avec son enfant à la campagne dans une grande maison. L'enfant dort confortablement dans un lit à barreaux. La mère a envie de faire un tour dehors et éventuellement de téléphoner, mais pour cela il faut marcher le long d'une route et s'éloigner sur un bon kilomètre avant de trouver du réseau. Elle hésite à partir, même s'il n'y a aucune raison de s'inquiéter. Elle verrouillera la porte par sécurité. Elle com-

prend alors qu'elle ne peut faire ça, au cas
où, éventuellement, il lui arriverait quelque
chose à elle. Si un camion roulant trop vite
la nuit la percutait, ou n'importe quel acci-
dent malheureux l'empêchait de rentrer, elle
se représente le réveil de l'enfant affamé,
debout dans son lit-cage hurlant d'inquié-
tude et de solitude au milieu d'une maison
fermée et isolée du voisinage. Elle entrevoit
une scène tellement terrifiante qu'elle en a
le vertige. Elle pense à sa responsabilité, au
caractère irréfutable des nouvelles priorités
qui relèguent désormais ses propres envies
loin derrière.

Elle se rend compte qu'il faut imaginer
sans cesse des situations de crise au moment
de s'interroger sur la pertinence de tel ou tel
choix. Les décisions qu'elle prendra désormais seront fonction des dangers qui pourraient en découler, ou plutôt de l'absence de
dangers potentiels.

Elle repense à des livres qu'elle a lus, à l'histoire d'une enfant emportée par la maladie, aux récits de parents confrontés à de telles épreuves. Ces écrits, elle s'en souvient bien, ils ont laissé une trace profonde. Elle sait qu'elle ne pourra les relire avant un moment. Au gré d'une dérive sur le net, elle tombe sur différentes versions du lied de Schubert d'après *Le Roi des Aulnes* et pleure en faisant défiler le poème et sa traduction. Les faits divers impliquant des enfants lui serrent le cœur et l'empêchent de dormir. Elle est obsédée par la cruauté d'un infanticide commis dans le Nord. Un matin tôt, des pêcheurs de crevettes ont retrouvé un corps emmitouflé dans une combinaison d'hiver. On apprend que la mère l'a laissée sur la plage pendant que la marée montait.

Elle imagine la frayeur qu'a dû ressentir l'enfant dont l'âge se comptait encore en nombre de mois face à la masse glaciale et sombre et au fracas impressionnant des vagues. Elle ne peut s'empêcher de lire les dépêches et articles sur différents sites reprenant mot pour mot les mêmes phrases implacables. Le père, paraît-il, tombe des nues. Sa femme lui avait raconté avoir déposé leur fillette chez une tante ou une grand-mère. Il avait demandé alors que faire de tous les jouets qui traînaient dans l'appartement, et apprenant sans ciller que les retrouvailles n'auraient pas lieu avant quelques années, en avait distribué une partie à Emmaüs.

Elle regarde à plusieurs reprises les images de ces marches blanches, les oursons en peluche, les roses aux longues tiges nues enveloppées dans des cônes de rhodoïd, elle lit les messages déposés par les habitants du quartier. Lire le journal, recevoir sur soi la violence de ces passages à l'acte comme les traces projetées d'une sombre éclaboussure, absorber sous la peau une dose de poison qui continue à se diffuser lentement sitôt qu'on y repense.

Le déroulement des faits est reconstitué par l'enquête une fois qu'il est trop tard. Repasser le film à l'envers, se figurer en continu l'enchaînement des gestes fatals comme pour tenter d'intégrer cette information. Le rôle tout récent de parent accentue sans doute l'émotion soulevée par ces tragédies. Avoir une idée d'autant plus précise de la façon dont les choses ont dû se dérouler, savoir à quel point la faiblesse et l'abandon de la victime en ont fait une proie facile.

L'enfant a un peu plus de deux ans. Elle prodigue sans compter des sourires aux passants, à tous ceux qui répondent à son regard enjoué. C'est la fin de l'après-midi et il est l'heure d'amorcer un retour vers la maison après une promenade au square. C'est le moment d'insister plusieurs fois en essayant, de façon tout à fait inopérante, de la convaincre avec des arguments liés à l'organisation protocolaire de la soirée. Allez viens, dépêche-toi, parce qu'il faudra prendre le bain et se laver les cheveux puis faire chauffer de l'eau pour les pâtes. Il est déjà tard et tout cela prend du temps. La mère se hâte en voyant le jour décliner. La petite fille, de son côté, pense avant tout à faire le tour de chaque poteau et à marcher le long des rebords de vitrine, du moindre petit dénivelé aussi haut et étroit soit-il, à s'arrêter sur toutes les marches et le pas des portes, à effectuer une série de circuits avec pour ligne principale un souci d'exhaustivité : il faut qu'aucune butée ou marchepied n'échappe au contact de ses semelles. En revanche, le jeu n'est soumis à aucune limite de temps : nul besoin de se dépêcher ou de pulvériser des records de vitesse. Pour effectuer un bon parcours, il faut au contraire ignorer la course des aiguilles et les injonctions de la mère qui essaye de durcir le ton et de faire monter la pression en s'éloignant à pas de fourmi d'un mètre ou deux.

Au coin d'une rue, la vitrine d'une pâtisserie chic où sont alignées impeccablement des tartes carrées aux framboises, des gâteaux en forme de dôme uniformément recouverts de poudre sucrée mate, des choux rehaussés de pastilles en chocolat qui font penser à des gouttes de mercure.

La mère porte à bout de bras le petit vélo à roulettes. Allez viens maintenant. Je vais finir par me fâcher. L'enfant se met finalement à courir et fonce en ligne droite. Doucement, DOUCEMENT. Elles passent la devanture immaculée et ses desserts parfaits qui attirent aussitôt leur attention. Veux-tu qu'on en prenne un ? D'accord, attention avec le vélo. Passe devant, non, devant.

En face de la boutique, sur le trottoir protégé de la chaussée par des barrières à croisillons, un homme manifestement sans abri se tient debout, un sac de voyage à ses pieds. Il n'est pas en train de mendier mais semble avoir décidé momentanément de rester à cette place, à un endroit où le trottoir est d'ailleurs assez sale, jonché de détritus, de crudités assaisonnées renversées d'une barquette en plastique transparent. Il n'est pas vieux, le teint rougeaud, alcoolisé, les yeux très bleus, en jean et en blouson, des cheveux fins plutôt châtains. Il y a un peu de monde à l'entrée de la pâtisserie, chacun doit attendre son tour. La mère n'est pas encore à l'intérieur mais l'un de ses pieds se pose subrepticement sur la marche en marbre poli et n'en bouge plus en attendant d'amorcer la prochaine étape qui consiste à monter d'un cran et à franchir le seuil. La petite fille repère immédiatement un plateau argenté sur lequel sont rangés des sachets de bonbons, assortiments composés spécialement avec un peu de rouge, un peu de bleu, un peu de jaune, un peu de vert, des ronds, des longs, des carrés, des sphériques, quelques serpentins enrobés de sucre. Chaque petit sac est fermé par un nœud. L'homme s'est glissé à l'intérieur du magasin et signifie qu'il veut offrir quelque chose à l'enfant, avec un billet déchiré qu'il extrait de sa poche. Tout se déroule très vite. La mère est déjà prise par l'énoncé de sa commande tandis que l'employé en blouse attrape une boîte en carton qu'il assemble. L'homme s'exprime avec insistance en effectuant des gestes que la mère s'obstine pour quelques secondes encore à refuser de comprendre. Il est peut-être russe, en tout cas slave, ne parle pas du tout français. Son envie de faire plaisir se heurte à la gêne de la mère. Et puis le magasin est cher, il est cher pour tout le monde, même les clients les plus aisés. Ce n'est pas tous les jours qu'on s'offre une pâtisserie dans un établissement aussi impressionnant, c'est un lieu trop sophistiqué pour y entrer sans marquer au moins une hésitation. On doit d'abord s'interroger face aux gâteaux présentés comme dans un écrin et peser le pour et le contre avant de se lancer, comme c'est le cas justement aujourd'hui, en concluant qu'on peut de temps en temps se permettre une folie.

Elle lit la détermination de l'homme sur son visage, son sourire franc, sans équivoque, elle voit sa petite fille souscrire évidemment sans hésiter, elle insiste seulement pour payer son éclair. L'homme, dont la seule présence dans cet endroit luxueux a quelque chose de déplacé, d'immédiatement inhabituel, tend son argent à l'employé. Le jeune vendeur qui a saisi la situation en un clin d'œil, sans doute touché lui aussi par ce geste, glisse une viennoiserie dans un sac en papier et lui adresse un hochement de tête qui signifie c'est de ma part.

Ils se retrouvent dehors. La mère encourage plusieurs fois l'enfant à bien remercier le monsieur, on s'échange des sourires, un geste de la main, la paume contre le cœur, les petits doigts agités en signe d'adieu, se retourner encore une fois jusqu'au moment de se perdre de vue.

Sur le chemin elle s'interroge. La petite fille a-t-elle souri à cet homme seul sur son trottoir, lui a-t-elle rappelé un enfant laissé derrière lui lorsqu'il a quitté son pays ? Ou était-ce simplement la première marque d'attention reçue depuis des jours, un regard de sympathie, joueur, sans jugement ?

Elle ne sait pas très bien comment accepter ce cadeau. L'enfant, en tout cas, se régale, et derrière elle, déjà loin au bout de la rue, il y a cet homme abîmé par la vie, ce naufragé sans rien ou presque dans les poches qui a tenu à lui offrir des sucreries, qui a voulu oublier pour quelques secondes sa misère et son dénuement parce que célébrer des yeux pétillants était plus important que tout le reste, et aussi sans doute par besoin profond de se montrer lui aussi généreux, de pouvoir encore donner quelque chose.

Viens mon poussin. C'est bon? Oui, tu peux en avoir un autre.

L'enfant se sent parfois si exaltée et victorieuse d'avoir des bonbons dans les mains qu'elle les brandit fièrement en marchant dans la rue comme s'il s'agissait du saint Graal. Quelques passants, à son immense satisfaction, ont l'air tellement jaloux qu'ils en grimacent.

C'est le début de l'été. Sa mère lui a mis une robe neuve en coton rouge et blanc inspirée des jupes de tennis. Elles sortent d'un supermarché et croisent une immense Noire fine comme une liane, belle comme un astre et d'une allure princière qui suit la petite du regard en s'exclamant, oh comme tu es jolie.

C'est un vrai cri du cœur. La mère n'ose pas le dire tout haut, elle pense : vous avez tout à fait raison mais quant à vous, vous êtes totalement sublime.

Dans les placards, les parents trouvent toutes sortes de surprises, des installations inédites. Au fond d'une casserole, un bonhomme de neige lumineux portant bonnet pointu, quelques morceaux de pain rassis, un renard en tissu, deux ou trois pièces de puzzle, un minuscule sifflet.

Dans des bocaux en verre, les petits animaux en bois à coller sur le frigidaire, dans la marmite un oiseau à poils roses, dans les buffets des vêtements miniatures enlevés à la famille Lapin pour étudier un peu leur anatomie au passage.

La mère se dit souvent qu'elle devrait photographier ces drôles d'agencements. Elle voudrait aussi profiter que son enfant soit endormi pour attraper un carnet de dessin et faire quelques croquis. Elle a beau-

coup de projets qui ressemblent à ces vœux
formulés au début d'une nouvelle année, ces
bonnes résolutions qu'on délaisse au fur et à
mesure. Toutes ses velléités pour garder des
souvenirs et archiver de manière exhaustive
les étalages de petits jouets sont éclipsées
par un besoin vital et urgent de sommeil.

Elle se met à parler très souvent au
conditionnel. Il faudrait noter tout cela, il
faudrait filmer plus souvent, il faudrait enre-
gistrer les premiers mots.

Elle croit vraiment qu'elle pourra profiter de ses soirées pour travailler, pour commencer ce qu'elle a projeté de faire tout
au long de la journée, les tâches sans cesse
reléguées à plus tard par des urgences qui
semblent toujours plus pressantes si l'on en
croit l'intensité des cris.

Ils attendent la tombée du soir en espérant qu'un fantastique sursaut d'énergie
créatrice leur permettra d'avancer à pas de
géant dans tous les projets en retard. Ils se

composent des feuilles de route, ils savent que leur programme nocturne est un peu ambitieux mais comme ils n'ont pas le choix ils sont certains d'y arriver sous l'effet de la pression. Une fois installés dans le canapé l'ordinateur sur les genoux, ils lisent d'abord quelques messages, consultent les sites des journaux, ils ont toute la nuit devant eux. Ils ne retardent que très peu le moment de s'y mettre. Bientôt, un engourdissement intégral les gagne irrésistiblement. Ils sentent leurs paupières se fermer contre leur volonté. Ils glissent dans un état second sans pouvoir résister et se réveillent un peu plus tard au milieu de la nuit dans la même position, toujours habillés de la tête aux pieds.

Ils relisent les histoires jusqu'à les connaître par cœur. Ils peuvent les réciter de mémoire : il est tout à fait inutile de continuer à chercher sous le lit tel album introuvable au moment du coucher, d'effectuer des va-et-vient de la chambre au salon, du salon à la chambre et de soulever dix fois de suite les mêmes coussins. On le trouvera demain. En attendant je peux te raconter *Babar* quand même.

Non elle préfère le livre, avec le vrai texte et les vraies images. La prouesse que la mère se propose d'accomplir en récitant toute l'histoire de mémoire ne lui dit rien qui vaille. Elle n'a aucune confiance dans les capacités mnésiques ni les talents de comédiens que ses parents pourtant très motivés essayent au mieux de mettre en avant. Il faut absolument trouver l'ouvrage qui doit être caché quelque part au fond d'un tiroir ou sous un tas de couvertures.

Bientôt des phrases tirées des quelques récits préférés sont reprises par l'enfant. Au cours de la lecture, elle est fière d'énoncer elle-même les mots qu'elle a repérés et appris. *Il est fier. Il est très fâché.*

Elle est impressionnée par le dessin d'un goret grassouillet affublé d'un ruban de velours noué autour du cou. L'animal ainsi déguisé fronce les sourcils, furieux d'avoir été soigneusement savonné en même temps que la porcherie, où il ne reste plus la moindre trace de boue. Elle entrouvre les pages sur lesquelles on voit son air courroucé, et les referme immédiatement, puis écarte encore tout doucement, de quelques millimètres, avant de faire disparaître à nouveau l'image dans un frisson de peur. *IL EST TRÈS FÂCHÉ.*

Parmi les premières phrases utilisées à bon escient arrive l'expression *je suis désolée.* Étonnement admiratif : d'où lui vient ce vocabulaire? La réponse arrive à l'esprit presque en même temps que la question tant ces paroles sont gravées dans leur crâne, résurgence immédiate et presque automatique des moments passés sur le bord du lit à relire cette histoire. La phrase revient comme une leçon ancienne profondément inscrite : *Je suis désolé, dit le fermier.* Aux deux tiers de l'histoire, le pauvre homme prend un air navré pour tâcher d'excuser la soudaine folie du ménage de son épouse phobique. Il est vrai que pour une fermière, ne pas supporter la saleté des écuries, du poulailler et de l'étable relève de la plus surprenante contradiction.

La mère se tient voûtée sous le faible rayon de la lampe de chevet. Elle s'appuie sur les oreillers en espérant être imitée bientôt, mais l'enfant se relève d'un bond pour mieux regarder les images au lieu de fermer lentement les yeux et de glisser dans le sommeil. La petite fille semble montée sur des ressorts. Au moment où on croit qu'elle va se laisser gagner par la léthargie, elle se redresse comme un Jack-in-the-box.

Il y a parfois des haussements de voix, des pertes de patience, un assombrissement de l'humeur qui rompent sans crier gare avec le ton serein et doux employé jusqu'alors dans l'espoir toujours ajourné que l'enfant s'endorme sagement. Les parents font des plans pour le moment où ils pourront tourner les talons sans un bruit une fois leur mission accomplie : lire quelques lignes ou regarder un film, rêvasser tranquillement, peut-être réfléchir s'il leur reste un peu d'énergie, ou plus probablement finir le plus souvent par faire du nettoyage et du rangement avant de sombrer comme des plombs.

Ils finissent quelquefois par s'énerver et par crier bon maintenant tu dors. Ils se doutent bien que ce type d'injonction ne peut avoir pour effet que son opposé. Si l'on tentait de les bercer en leur donnant des ordres sur un ton autoritaire, cela n'aurait pas plus d'effet sur eux. Mais bon, il leur arrive d'être perdus, épuisés, à court de ressources. Ils se prennent à dire certaines phrases tout en ayant conscience qu'il vau-

drait mieux se taire, à faire des chantages
ridicules auxquels l'enfant lui-même n'a pas
l'air de croire une seconde. Attention si ça
continue plus de bonbons, pas de cadeaux,
pas de promenade demain et je vais tout
de suite appeler le père Noël pour tout lui
raconter.

Ils s'entendent bientôt en écho à travers
quelques expressions que l'enfant reprend à
son compte. Oh je suis fatigué. J'ai mal au
dos. Elle les imite. Ils ont envie de rire et
sont consternés en même temps. Ils ont la
même impression déplaisante que lorsqu'on
est surpris de découvrir sa voix et ses tics
de langage dans une conversation télépho-
nique enregistrée par erreur sur un répon-
deur. Elle prend un air malade et plisse les
yeux en grimaçant. Je ne me sens pas très
bien. Elle fait mine de souffrir et avance dos
courbé. Elle se masse un mollet et annonce
la couleur : j'ai mal à l'estomac.

Un soir, l'enfant attrape sa mère par les épaules et lui dit *je te tiens ma belle*. C'est qu'elle ne croit pas si bien dire. Ah oui, ça c'est vrai, tu me tiens.

Plus tard la mère se souvient que cette phrase est prononcée par le renard qui réussit à capturer Poule rousse dans un grand sac de toile.

Parmi les projets à concrétiser, il y aurait notamment le musée du caillou, ou à défaut une série de vitrines dans lesquelles serait conservée la collection impressionnante des spécimens récoltés par l'enfant. Partout où l'on trouve du gravier, des galets, du ballast, elle se penche et ramasse quelques échantillons pour en faire cadeau à son entourage. Parents, amis, famille, une généreuse distribution permet à tous de se remplir les poches et de garder un ou plusieurs souvenirs de tel ou tel chemin, du parking de la plage, d'un arrêt de bus au bord de la route départementale.

Il faudrait consigner les lieux de prélèvement, même ceux qui n'ont aucun charme spécial, pour garder une trace des parcours liés à la géologie. Court de tennis derrière la supérette. Chemin du cimetière de l'île. Petit chemin longeant les maisons d'un village. Allées sillonnant l'immense parc d'une villa ancienne. Il y en a de minuscules, ceux qui bordent les routes goudronnées de campagne, des plus gros et plus lourds, des pierres polies trouvées près d'une falaise, des tout à fait quelconques provenant d'on ne sait plus trop où. La mère les garde un moment dans son sac ou au fond d'une pochette, mais elle finit généralement par les jeter. Elle a l'impression d'accomplir des actions au sens mystérieux, presque un geste artistique, une série de déplacements symboliques et infimes consistant à placer un peu de Bretagne en région parisienne, un fragment de calcaire normand près des terrils du Nord. Le plus souvent, ce ne sont en fait que des mouvements de quelques mètres sur le même sentier. Après avoir parcouru à pied une certaine distance, surtout lorsqu'il faut porter l'enfant dans ses bras, elle se débarrasse finalement de ces présents charmants mais encombrants et les rend à la terre.

Au cours d'une semaine de vacances, la mère emmène sa fille dans une ville balnéaire où le père viendra les rejoindre. Ça y est, le jour est arrivé. Elles vont l'attendre à la station de car. L'enfant voit la silhouette tant attendue descendre et s'approcher. Avant toute chose, plutôt que de courir aussitôt bras tendus, elle tient à lui remettre un certain nombre de cailloux gros comme des morceaux de charbon qu'elle trouve à ses pieds au fur et à mesure. Son regard en mouvement est à l'affût des plus beaux spécimens qu'elle rassemble à la hâte pour composer un ensemble fourni.

De l'extérieur, cela rappelle cette situation où l'on se rend à un dîner sans avoir eu le temps d'acheter un bouquet de fleurs ou une bouteille de vin, et où, embarrassé d'arriver les mains vides on serait presque prêt à attraper n'importe quoi dans le placard, des sardines en conserve ou un paquet de biscuits. Le père reçoit chacun de ces dons avec ravissement et les range dans ses poches. Peut-être est-ce une façon de le lester suffisamment pour qu'il ne s'échappe plus. En rentrant à l'appartement, ils disposent toutes les pierres sur la table de la cuisine et apprécient cette décoration originale et sobre en buvant leur café.

Les objets changent de place. En un rien de temps, dès que les habitants de la maison tournent le dos, ils retrouvent les poupées étendues sur le sol bras écartés comme dans un happening, des éléments épars et mélangés de jeux assemblés au hasard, des personnages en bois, des couvercles de boîtes, des accessoires, des bouchons, des gobelets, des soucoupes de dînette, des pages de livres déchirés, des chaussettes retournées, une chaussure orpheline dont le lacet traîne sans doute quelque part ailleurs, des cubes, des crayons de couleur dont les mines sont cassées, des mines de crayon écrasées, des mines de crayons gras prises dans les rainures du parquet.

Ils passent beaucoup de temps dans la position des glaneurs, courbés en deux et les bras tendus vers le sol pour ramasser tout ce qui traîne.

Parfois en rangeant les jouets, ils effleurent involontairement les touches du clavier musical qui se met aussitôt à claironner sur un rythme rapide une de ces comptines préenregistrées dans une débauche de clignotements multicolores dignes d'une fête foraine. Ils sont chaque fois pris de court, poussent des jurons et maudissent l'instrument fâcheux qui répète les mêmes mélodies tellement simplifiées qu'on les reconnaît à peine. Cet objet en plastique de Chine particulièrement encombrant semble issu de l'union absurde entre un piano électronique et un frisbee, et c'est plutôt à l'usage de cet objet-ci qu'ils pensent lorsque la voix bébête répète pour la cinquantième fois bonjour jouons ensemble et qu'il leur prend l'envie de le lancer à travers la fenêtre.

Malgré leur intention de fermer les oreilles et de rester imperméables aux mélodies d'autant plus invasives qu'elles sont faciles à retenir, ils se retrouvent régulièrement à fredonner des airs comme *il pondra des œufs* ou *trois petits minous* et à prendre une voix aiguë de machine pour imiter en les moquant toute une série de phrases indicatives, par exemple celle-ci qu'il faudrait d'ailleurs corriger si par hasard le fabricant s'est reconnu : le ballon est en forme de rond.

On pourrait dire que ces jouets pour les tout-petits diffusant les mêmes sons en boucle ont quelque chose de complètement gâteux. Ce sont généralement des cadeaux offerts par des tiers : jamais des parents à peu près normaux n'achèteraient eux-mêmes un instrument à taper sur les nerfs. La personne de l'entourage proche qui a eu cette brillante idée accompagne son geste d'un sourire gêné et légèrement roublard en précisant, avant l'ouverture du paquet, j'espère qu'on restera amis.

Puis on échange quelques sous-entendus que l'enfant ne peut pas encore comprendre à propos de l'usure des piles et du fait que bientôt on pourra prendre une mine faussement embêtée pour lui dire ça ne marche plus.

Il faut savourer ce moment qui ne va pas durer, ces quelques semaines à peine où le petit, bonhomme, ne sait pas encore actionner le bouton marche arrêt.

Ils se baissent, se redressent, soupirent et soufflent comme des cachalots, font des allers et retours du salon à la chambre, de la chambre au salon, déplacent ou replacent des petits objets qu'ils essayent de trier. Ils ont conscience que leurs efforts sont vains et disproportionnés vu la fugacité du résultat : l'ordre ainsi retrouvé n'est pas fait pour durer et ils devront recommencer autant de fois que nécessaire s'ils veulent avoir un champ de vision dégagé à un moment de la journée. Bientôt ils apprennent néanmoins à éviter une fatigue inutile et à se ménager. Ils attendent la tombée de la nuit pour déblayer, faire de la place et vaincre le désordre jusqu'au lendemain. Pour tout ranger efficacement, il faut compléter les jeux un par un. Ils éprouvent bizarrement une forme de satisfaction à assembler sans se tromper les éléments colorés d'une pyramide en bois, à placer en un temps record les pièces d'un puzzle aux contours simples, ici la vache, ici le coq, là le mouton, à accomplir les yeux fermés et sans le moindre effort ce que la petite fille ne maîtrise pas encore. Ils effectuent enfin certains gestes qui les démangent lorsqu'ils voient les mains potelées s'obstiner à vouloir placer le même volume géométrique dans le mauvais sens ou essayer en vain de faire entrer un cube dans une forme en triangle.

Ils rhabillent en un tournemain les petites poupées dénudées en leur passant avec habileté leurs chemises et leurs shorts fermés par des bandes de velcro.

Souvent, ils pensent à leur travail en retard, à tout ce qu'ils ont à faire ou auraient dû déjà terminer pour la veille et ils éprouvent de l'impatience à se retrouver à genoux dans un coin de la pièce en train de faire des jeux d'éveil.

Ils ont une dent particulière contre les poupées russes, ce corps multiplié impossible à différencier, cette famille de clones consanguins éparpillée et désunie. Dans ce clan où tout le monde a le même profil et cultive la ressemblance pour mieux semer la confusion, il y en a toujours un ou sa moitié dont on est sans nouvelles. Il arrive d'en retrouver qui ont roulé sous une table ou un canapé, ou derrière la commode ancienne arrimée au sol par son poids.

La mère est partie quelques jours sur une île isolée pour avancer sur des projets en retard. Après une journée de voyage au bout de la Bretagne et une traversée en bateau, plus rien ne pourra venir la distraire ni détourner son attention de la concentration souhaitée, et elle commence à cet effet, avant même d'allumer le compteur, par sortir son ordinateur et le placer en évidence au milieu de la table habituellement dévolue aux repas, comme pour préempter cet espace et le convertir en austère bureau.

Au fond de la sacoche bleu nuit qui sert à transporter son outil de travail, une fois sorti le câble d'alimentation enroulé sur lui-même, elle remarque un petit objet noir et brillant de la taille d'un suppositoire qui ne fait pas partie de l'équipement informatique, ou bien si c'est une pièce qui s'en est détachée c'est assez inquiétant et laisse augurer d'un séjour qui ne commence pas très bien. Un examen à la lumière du jour révèle qu'il s'agit du petit pingouin, le tout dernier de la lignée des gigognes en plastique représentant des animaux, à l'intérieur duquel se trouve encore, pas plus grande qu'un haricot sec, son homologue matriochka en bois verni. Ils n'avaient donc pas disparu, ces deux cadets de fratries dégressives, ils étaient l'un dans l'autre en train de commencer peut-être à fonder une dynastie.

Elle est émue et amusée. Elle observe le minuscule visage finement tracé au pinceau : deux points pour les narines, deux accents pour les yeux et un trait courbe pour la bouche. La miniature au corps de poire affiche un sourire malicieux et semble assez heureuse d'avoir été trouvée dans sa cachette étui. Elle fait penser à une enfant dont les yeux brillent d'excitation à l'idée d'être découverte une dixième fois consécutive au fond de l'armoire à chaussures.

C'est donc pour venir transmettre un message crypté que ces deux émissaires discrets se sont dissimulés au fond du sac comme dans la panse d'un cheval de Troie d'aujourd'hui. La mère, sous réserve de se tromper ou d'interpréter de travers, perçoit ce signe comme éminemment joyeux et répond au clin d'œil de la minuscule bonne femme en balsa par le même air enjoué. Elle sent quelque chose craquer près du cœur. Et elle pense Aaaaaa c'est un peu trop mignon, comme il leur arrive parfois de le dire en faisant mine de friser l'infarctus.

Elle est aussi consciente du privilège que représente ce prêt de la part d'un enfant, qui comme une bonne part de ses camarades a un rapport très fort et presque viscéral à la propriété.

C'est l'un des réflexes communs, quasi innés, que les parents auront bien vite l'occasion de remarquer : l'absence totale de lâcher-prise dès qu'il s'agit des biens et une réticence farouche à prêter quoi que ce soit, malgré leurs efforts insistants pour vanter les joies du partage d'une petite voix flûtée : prête ton vélo au petit garçon, c'est seulement pour faire un tour rapide, il ne le prendra que quelques minutes et te le rendra aussitôt. Regarde, il en a très envie, il pleure. S'il te plaît, sois gentille. Mais n'aie pas peur, il ne risque pas de partir avec. Il n'y a rien à faire. Dès qu'un intrus s'approche ou a l'audace de tendre une main vers le jouet, c'est la défensive et l'hostilité. Ils grognent en fronçant les sourcils, envoient des directs à travers les airs, reprennent leurs richesses en les arrachant des mains, bousculent et distribuent des coups de collier. Pourtant, tous sont aussi intéressés par les engins roulants abandonnés au milieu d'une allée, ils ne se posent pas trop de questions au moment d'aller saisir à deux mains un guidon offert aux regards.

Du haut d'un toboggan, la petite fille pousse des hurlements dissuasifs dès qu'elle voit un enfant à proximité de sa trottinette. Elle désapprouve aussi l'attitude des petits chanceux qui paradent au volant de leurs véhicules à pédales : ils sont considérés comme des fâcheux à dégager, des trouble-fêtes qui ne méritent que la confiscation.

Elle ne comprend pas pour autant, ou fait mine de ne pas entendre, les enseignements que la mère s'empresse de tirer de ces situations : tu vois pourquoi tu devrais partager une fois de temps en temps. Toi aussi tu rêves de monter sur un de ces bolides, tu serais bien contente si la grande fille te prêtait son trois-roues.

La mère retrouve une de ses vieilles amies qui a un garçon du même âge. Au parc, elles essayent d'échanger une ou deux phrases entières entre deux départs affolés aux trousses de leurs petits lancés à vive allure, et au milieu d'un chapelet de recommandations comme, à tout hasard, ATTENTION qui interrompent sans cesse le fil de leurs récits. Elles sont précisément en train de plaisanter sur ce travers matérialiste et rat dont de nombreux exemples s'offrent à leurs regards au moment où elles parlent. Même les deux leurs, qui s'apprécient et jouent ensemble, sont en pleine dissension à propos d'un monstre en plastique effroyablement laid qui semble sortir d'une poubelle mais dont chacun revendique bec et ongles l'exclusivité. Avec son délicieux et fidèle accent ibérique, elle conclut en faisant siffler les *s* : les enfants sont de droite.

Un beau matin, la mère emmène sa fille voir son premier spectacle de Guignol. Cela commence par une traversée de Paris à bicyclette pour arriver jusqu'au jardin du Luxembourg. En traversant la Seine, l'enfant qui commence tout juste à parler s'écrie folle de joie C'EST LA MER. Sous une rangée de platanes, elle voit pendre les fruits des arbres, ces boules de poil à gratter retenues par des tiges minces prêtes à se rompre avant d'éclater sur le macadam et de répandre un tapis de crin volatil hautement allergène. Elle pointe le doigt en direction des branches et hurle au comble de l'excitation : REGARDE! REGARDE! DES CERISES! IL Y A DES CERISES! Elle ne voit pas le sourire charmé et ravi de celle qui pédale vaillamment tout en gardant un œil au sol pour éviter les innombrables éclats de verre éparpillés au bord de la chaussée, à croire qu'une confrérie perverse aime spécialement casser des bouteilles de bière dans le caniveau, et ne peut donc tourner la tête sur le côté pour acquiescer ou admirer ces incroyables découvertes. La petite tend les bras comme pour essayer de les attraper tandis que la mère suit la route, hésitant encore quelques secondes entre un mensonger MAIS C'EST VRAI! et quelques rectificatifs inévitables qui, même énoncés avec douceur, risquent fatalement de prosaïser cette vision romancée de la ville.

Elle aimerait bien plutôt écouter la version de son nouveau guide farfelu dont le regard enthousiaste l'emporte sur l'exactitude, peu importe la vérité, les repères historiques, les connaissances en botanique ou en géographie.

Elle finira par le lui dire : en réalité il s'agit de la Seine, et elle ajoute intérieurement, le fleuve que tu as longé pour la première fois dans un taxi quand tu n'avais encore que quelques jours, à la fin du mois d'août ou bien était-ce déjà début septembre. Depuis, je ne vois plus ces rives tout à fait comme avant. Elles resteront toujours liées à une grande émotion, au ravissement d'une première fois, même si je les avais déjà parcourues très souvent. Je me sentais comme une chef d'État nouvellement élue, une officielle à peine investie de ses fonctions qui reçoit la visite exceptionnelle d'une hôte de marque sur son territoire. Je sentais la pression monter et une certaine fébrilité devant la charge de t'accompagner, VIP arrivée d'une lointaine contrée. Nous longions des façades que je détaillais d'un seul coup avec un œil sévère, vérifiant méticuleusement que tout était à la hauteur et que rien ne pourrait venir te déplaire ou te décevoir. Je redécouvrais grâce à la seule présence d'un regard neuf pourtant tourné vers ma poitrine, la majesté et la splendeur des grands immeubles en pierre qui semblaient s'être mis en rang et se tenir au garde-à-vous. Si je voyais une façade sale ou un ensemble d'habitations terne, je leur lançais des œillades dédaigneuses en espérant qu'ils passeraient inaperçus ou seraient bien vite oubliés.

Il s'agit donc d'un fleuve ma petite fille, une grande étendue d'eau au fond de laquelle on dit que s'accumulent toutes sortes d'objets incongrus tombés du haut des ponts ou balancés depuis les berges. Il y a paraît-il des voitures, des réfrigérateurs, des fusils, des obus. On y repêche parfois les corps noyés de gens qui n'avaient plus le goût de vivre. Ou des cadavres d'énormes serpents exotiques que leurs propriétaires ont cherché à faire disparaître.

On peut se promener en descendant tout près de l'eau mais attention il faudra bien tenir la main.

Quand tu seras plus grande, nous irons faire un tour en bateau-mouche. Ce que dira la personne au micro à propos des immeubles et des monuments situés sur les quais nous paraîtra platement informatif comparé à tes descriptions. Tu n'écouteras pas vraiment non plus et préféreras désigner ce que tu vois en inventant des noms étranges, des mots à consonance inuit mélangés à du japonais et du breton, vocables courts composés de syllabes assemblées en direct dont on cherche en vain à déchiffrer le sens. Nous en garderons certains en mémoire et les emploierons comme mots à tout faire. Ils viendront enrichir le lexique familial : pikak, pakaï, manane, fannick.

En attendant de pouvoir déchiffrer ces mots mystérieux, la mère remonte justement la rue Champollion. Debout sur les pédales, la force de traction augmente un peu mais arrivée à la hauteur du troisième cinéma il faut poser le pied à terre et continuer en utilisant les muscles des bras.

Elles arrivent juste à temps devant les grilles du parc où sont accrochées des photos de batraciens multicolores et de

papillons flamboyants. C'est une exposi-
tion grand public et gratuite comme on en
voit éclore depuis quelques années le long
de l'immense périmètre qui ferme le parc.
Les images sont fixées aux tiges de fer forgé
noires et dorées par des œillets inamovibles
et on y voit des espèces animales ou végé-
tales dont l'aspect général ne peut objecti-
vement heurter personne. La petite fille est
fascinée par les reflets mordorés des écailles
d'iguanes et les détails de nageoires trans-
lucides. C'est quoi? Une grenouille. C'est
quoi? Une grenouille chérie, viens on va
être en retard. C'est quoi? C'est une photo
de grenouille je te dis. Allez dépêche-toi, tu
veux voir Guignol oui ou non?

Parfois la mère a l'impression de passer
son temps à presser le pas, à dire plus vite, à
répéter fais attention regarde devant toi.

Elles descendent le grand escalier en
pierre, longent le bassin sur lequel flottent
des modèles réduits de voiliers, remarquent

la petite maison en bois de la taille d'une niche de chien posée au milieu de l'eau, courent pour monter l'escalier de l'autre côté. Le bâtiment n'a pas changé. Un pavillon tout en longueur avec sa façade blanche, des croisillons sur la fenêtre horizontale et un arrondi à l'entrée. La mère le reconnaît immédiatement comme lieu familier d'une existence passée, une image imprimée au fond de la conscience et qui revient intacte après et malgré des années d'oubli.

Le ticket d'entrée est d'un bleu moyen, détaché d'une souche le long d'un pointillé prédécoupé, en papier recyclé tout fin avec un numéro en haut à droite. Tout le monde s'installe sur les petits bancs et les parents sont invités à éviter les premiers rangs. Un homme qui pourrait être un personnage échappé du spectacle, moustachu dégarni à la fois sévère et placide avec un ventre rond de culbuto, fait le tour de la salle en agitant une cloche avant le début du spectacle.

Deux rangées d'ampoules rondes s'allument de part et d'autre de la scène. Le rideau s'ouvre. Les adultes massés sur des strapontins en métal regardent leurs enfants en train de découvrir les marionnettes.

Cela commence : une cymbale joyeuse, des danses en rythme de souris en tissu éponge gris vêtues de tutus et coiffées des plumes, des effets de lumière, quelques jets de fumée : les numéros s'enchaînent comme sous un chapiteau et les paillettes des costumes scintillent de partout.

La petite s'accroche au rebord de la scène et saute comme sur un trampoline pendant toute la représentation, frappe dans ses mains dès qu'un nouveau tableau arrive, a envie de grimper pour rejoindre les personnages. C'est un tel émerveillement qu'elle s'approche au plus près sans craindre le lion rugissant avec sa crinière synthétique, ses crocs en mousse et sa langue en feutrine. La mère aperçoit seulement un éclat de frayeur dans les yeux noirs écarquillés et un bref mouvement de recul, le petit visage saisi pour une seconde lorsqu'elle comprend qu'il s'agit d'une bête menaçante. Mais l'attrait est trop fort, et bientôt d'autres animaux qui font penser au cirque de Calder se succèdent sur la piste : elle retourne se mettre au bord et se laisse absorber par la beauté. Une boule à facettes tourne placidement au-dessus de ce beau monde et donne l'impression que la Voie lactée glisse autour de la Terre.

La mère essaye de ne pas trop montrer son émotion dans l'obscurité de la salle. Voir sa petite ainsi surexcitée et si heureuse devant la danse de trois personnages en chiffon lui donne la chair de poule. Assister en direct à la façon dont un premier choc esthétique se mue en explosion de joie, la regarder sautiller sans relâche pour imiter le balancement synchronisé des souris ballerines au son de la fanfare lui serre le cœur et fait revenir des bonheurs très anciens, ses propres souvenirs d'enfance, et accuse en même temps l'incommensurable distance qui la sépare désormais de cette candeur. Elle pense que si d'autres parents assis à côté d'elle voient ses pupilles luire dans le noir, jusqu'à ce que deux minces filets d'eau se mettent à courir sur chaque joue, ils seront sans doute très surpris que la féerie du Cirque en folie la bouleverse à ce point.

Un matin tôt, beaucoup trop tôt pour que les parents aient envie de se lever et de s'affairer aussitôt à mille actions qui accompagnent le début de chaque jour, la petite fille surgit dans une tornade de bonne humeur avec pour projet immédiat de rebondir sur le matelas. Pour ne laisser personne en reste et inviter tous ceux qui le désirent à pratiquer ce jeu sportif, elle adresse à la cantonade une sollicitation sur le mode interrogatif-impératif : *on saute?*

Sans attendre de vraie réponse et devinant sans doute que les deux cétacés allongés sur le flanc ne vont pas se redresser tout de suite en disant *c'est parti*, elle enchaîne une série de bonds qui la font rire, et ce rire suscite à son tour des éclats de rire, une escalade de rire qui se nourrit lui-même. Sauter est drôle mais le rire est plus drôle encore, et comme le saut et le rire sont liés, c'est une spirale de joie qui finit par déteindre un peu sur les participants restés en position hori-zontale. Timidement ils se dérident, même si cette irruption ébouriffante signifie que leur temps de sommeil, déjà pas colossal, est à présent officiellement passé.

La mère est très impressionnée par cette somme d'enthousiasme. Elle songe : il fau-drait mettre au point un câble qu'on bran-cherait sur son enfant pour lui siphonner un peu d'énergie. Le père, toujours immobile sous les draps, avance un argument : arrivés à notre âge, on a déjà accumulé quelques revers, des désillusions en chapelets, on a touché notre minimum garanti d'expériences accablantes, la vie est passée par là comme on dit. On a connu de grands bonheurs et autant de malheurs. Ça finit par vous érafler. Elle, elle commence tout juste. Elle est au début de sa vie.

Au cours de cette conversation, ils sont secoués comme des crêpes, ballottés par les vibrations chaque fois que la petite retombe à pieds joints sur le lit, ce qui fait chevroter leurs voix et produit l'impression d'être encore plus usés et proches de la décrépitude qu'ils ne l'avaient pensé.

Le contraste est criant. Étendus côte à côte, un couple de quadragénaires en manque permanent de sommeil, deux adultes amortis qui se plaignent à longueur de temps, se répètent mutuellement qu'ils n'ont pas pu dormir et rêvent d'une sieste ininterrompue. Ils imaginent un service idéal qui proposerait d'acheter des heures de repos à une borne automatisée : il suffirait de recharger une carte avec un code facile à retenir. On n'aurait pas besoin de dérouler la liste des mots de passe secrets, ceux avec un seul chiffre, ceux avec zéro chiffre, ceux avec majuscules, ceux de huit caractères, ceux qu'il faudrait changer car ils sont trop faciles, ceux dont la machine ne veut pas car trop alambiqués. On retrouverait aussitôt un teint frais et des traits reposés.

Deux épuisés chroniques qui renchérissent à tour de rôle pour essayer de décrire leur état. Je suis fourbu, fracassé, éreinté. Je ne tiens plus debout, je pourrais dormir trois mille ans. Je ne peux plus bouger. Vas-y toi si tu peux. Impossible de me lever.

Et une force de la nature en train de jouer à l'ascenseur imaginaire, à la corde à sauter sans corde, au yoyo sans ficelle.

Lorsque l'enfant veut les entraîner quelque part, elle les tire par le bras avec une force herculéenne et il est illusoire d'essayer de lui résister. Par un mélange savant de cris perçants et d'ordres assenés sur un mode qui frise le militaire, elle arrive dans l'ensemble à obtenir tout ce qu'elle veut car les parents cèdent assez vite pour faire cesser les hurlements.

Son insistance ne connaît pas encore le dosage, la pondération, et elle concentre toute son énergie à faire exaucer ses désirs. On n'a jamais vu pareil tyran.

En rentrant de la crèche elle a quelquefois des griffures. Les parents essayent d'enquêter pour savoir quel enfant a osé balafrer ainsi ses joues. Les puéricultrices et les auxiliaires se gardent évidemment de donner des informations, si tant est qu'elles en aient. Le plus souvent, elles disent qu'elles n'ont rien vu. Elles ne savent pas quel petit démon agressif en est venu aux mains pour attraper tel jouet ou objet convoités.

Une fois franchi le seuil de l'établissement collectif, ils s'empressent de lui demander, qui t'a fait ça ?

L'enfant avance un nom, sans doute le premier qui lui vient, facile à prononcer et à mémoriser. La petite en question est l'une des vraies jumelles parfaitement identiques dont les prénoms courts se terminent en A. C'est elle qui t'a griffée ? Oui.

À chaque apparition d'un bleu ou d'une égratignure elle désigne la même coupable. Ils se rendent bientôt compte qu'il faut accueillir ces accusations avec quelque défiance.

Cela devient un jeu. Ils essayent de savoir si l'enfant comprend les questions ou si elle répond oui pour continuer à attirer l'attention des adultes et aller dans le sens de ce qu'on lui demande. Est-ce qu'elle est très méchante ? Oui. Elle a une crête de poils verts dans le cou ? Elle a des écailles mordorées ? Oui. C'est elle qui fait tomber les

118

feuilles des arbres quand elle éternue ? Elle fait vibrer le trottoir en marchant dans la rue ? Oui.

Ils se rendent compte d'une chose dont ils pouvaient se douter sans s'être réellement penchés sur la question jusqu'à présent : interroger un jeune enfant témoin ou victime de violences dans le cadre d'une enquête doit être un art infiniment complexe et reposer sur des techniques bien précises de formulation.

Un des premiers mots prononcés sera Non. Quelques semaines plus tôt, installée sur sa petite chaise, l'enfant qui jusqu'alors se laissait nourrir de bon cœur secoue la tête de gauche à droite pour exprimer ce qui ressemble à un refus. Ah nécessaire rupture pour commencer à s'affirmer. Les parents ont lu quelque part que c'était parfaitement normal. Il ne faut pas le prendre mal, c'est dans l'ordre des choses. Ils rient et ils trouvent ça charmant. Ils font une sorte de grimace en hochant quant à eux la tête dans l'autre sens avec une expression qui signifie eh bien eh bien, c'est du joli, tout ça va en effet un peu trop vite. Une personnalité émerge sous leurs yeux et ils sont très heureux de voir que leur enfant évolue bien, qu'il vient d'entrer dans la période de négation nécessaire à son développement. Ils laissent de côté le petit pincement et la minuscule vexation liés à ce premier rejet qu'ils savent être un signe de bonne santé. Pourtant, cette fronde résonne inévitablement avec la façon dont eux-mêmes se sont démarqués et différenciés de leurs propres parents dans un mouvement de rupture radical. Ils se sont construits à contre-courant et cela leur revient en mémoire comme un boomerang. Ils se souviennent des nombreuses critiques formulées, des reproches qu'ils gardent en réserve envers ceux qui les ont élevés.

À présent que leur tour est arrivé ils anticipent déjà, en s'entraînant à trouver ça très drôle, le moment où leur fille adolescente les appellera aussi mes vieux et fera une tête de six pieds de long assise à leurs côtés au restaurant.

Ils disent : quand je pense qu'un jour elle collera un panneau sens interdit à l'entrée de sa chambre et nous criera j'ai pas cherché à vivre avant de claquer la porte. Ha ha !

À coup de boutades ils se préparent déjà à des situations qu'ils connaîtront bientôt, même s'ils ne peuvent pour l'instant se projeter dans ce bientôt qui leur semble impossible, exagéré, bien trop loin d'eux pour y croire tout à fait. Ils ne sont pas pressés. Le présent les occupe assez. Mais en rentrant chez eux le soir à l'angle de la rue ils voient des jeunes debout agglutinés devant un bar, des filles qui fument en buvant de la bière dans de grands verres en plastique mou et le père prend une petite voix pour dire, dire que ma choutixette sera comme ça un jour.

Ils plaisantent aussi à propos des futurs fiancés. Quelle tête on fera quand elle nous ramènera Kevin ou Charles-Édouard à la maison et ils imitent le jeune amoureux du futur en prenant un air cool avec les yeux mi-clos, pas encore réveillé au petit déjeuner, bonjour monsieur, bonjour madame.

Ils regardent leur fille pour l'instant si petite et l'essai de superposition des deux images bien différentes leur fait un drôle d'effet. Cet être doux et réceptif aux marques d'affection, qui tend les bras pour qu'on la porte et fait irruption dans leur lit dès qu'elle ouvre les yeux le matin, leur demandera un jour de façon explicite de passer une soirée dehors voire un week-end entier, si possible assez loin.

Le lit à barreaux est devenu trop petit. Arrive une nouvelle ère où l'on entend des pas dans le couloir jusque tard dans la nuit car une curiosité irrépressible anime le petit être à présent libre de ses déplacements. Il veut rejoindre les adultes pour ne pas perdre une miette de leurs conversations. Il se relève une fois, deux fois, dix fois. Les parents avaient pourtant de bonne foi l'impression d'avoir accompli comme il le fallait leur mission d'apaiser et bercer l'enfant en lui lisant des histoires de géants cruels et autres ogres affamés. Ils entendent des bruits de pas, un espion sur la pointe des pieds. Pit pat pit pat.

À l'entrée du salon, derrière l'angle plongé dans le noir apparaît une tête qui voudrait voir sans être vue et tâche le plus longtemps possible de rester cachée derrière son bout de rideau. Le lutin noctambule appréhende d'être repéré tout en n'y tenant plus. Une certaine qualité de silence donne l'indice mystérieux de sa présence dans la pénombre et lorsque finalement l'un ou l'autre se lève pour aller vérifier, il aperçoit une silhouette immobile tapie dans le couloir.

Une observatrice en chemise de nuit, pieds nus et l'œil alerte, guettant l'approbation de l'adulte attendri. Même énervé, à bout de patience, surpris d'avoir été épié alors qu'il se croyait tranquille, l'adulte est attendri dans la plupart des cas.

Régulièrement, ils ouvrent les fichiers des toutes premières photos, les images d'il y a quelques mois à peine. Ils ne se souviennent déjà plus tout à fait du visage rond tel qu'il était les premiers mois, des traits tout juste dessinés qui n'ont cessé de s'affirmer depuis. Ils revoient celle qui n'avait encore qu'un duvet presque invisible sur le crâne et une longue mèche plus épaisse à l'arrière, source de taquineries et de comparaisons railleuses avec la coupe en vogue parmi les joueurs de foot des années quatre-vingt. Chaque jour qui passe efface les images de la veille et ils éprouvent une certaine frustration à essayer de retrouver le souvenir précis des différentes étapes.

Ils ont même oublié les vêtements portés sur les photos. Certains ne l'ont été qu'une fois ou à peine plus. Beaucoup d'affaires dont les tailles leur semblaient immenses se sont retrouvées dans des tiroirs avant d'être un peu oubliées. Elles sont restées là un moment, cadeaux pensés sur le long terme à garder pour un peu plus tard, jusqu'au jour hasardeux où ressorties et dépliées, elles s'étaient avérées trop justes. Pourtant c'était hier, se disent-ils étonnés que cette expression leur revienne. Une expression qui semblait sommeiller au fond d'eux-mêmes en attendant le moment opportun, une phrase inscrite au patrimoine et dont le sens ne se comprend pleinement qu'au milieu du chemin. Ils avaient entendu leurs parents dire cela en retrouvant des tirages mats dont les couleurs avaient viré au jaune au fond de grandes boîtes de biscuits. Sur les photographies, des enfants effectuant leurs premiers pas, les pieds glissés dans des mocassins paternels aussi grands que leur ombre.

Ils ont oublié les premières paroles, les premiers sons uniques et inédits sortis de la bouche de l'enfant, les amalgames de lettres mélangées au petit bonheur pour former un langage, voyelles et consonnes associées en mode aléatoire à la façon de ces trombones agglutinés en grappe sur des pyramides aimantées.

Ils se demandent où iront les souvenirs. Ils se demandent si les premières images seront vouées à disparaître où à rester cachées dans une obscure sous-couche de la mémoire ancienne.

Eux-mêmes ne peuvent remonter plus loin qu'à un âge où ils allaient déjà à l'école, et encore. De toute la période antérieure ne restent que d'infimes fragments dont personne ne peut dire s'ils les ont réellement vécus. Il doit s'agir d'un mélange de scènes vues dans des livres ou des films et d'histoires racontées qui ont fini par constituer leur album primitif.

Lorsqu'ils assistent à toutes ces premières fois dont ils voudraient conserver toujours plus de traces, ils se disent que l'enfant, bientôt, aura tout oublié.

Ils rient en observant son geste nonchalant pour dégager une table et balancer les objets qui l'encombrent. Debout devant un étalage de jouets, elle envoie tout sur les côtés comme le ferait une otarie avec ses membres supérieurs, sans ménagement, sans précautions. Les objets tombent, boum, projetés par terre. Elle veut faire de la place, peu importe la chute, son geste est volontaire, direct, radical.

Ils lui donnent des surnoms. Lorsqu'elle se met à hurler à toute force et devient cramoisie, qu'elle se débat en agitant la tête dans tous les sens à se tordre le cou. Mais c'est l'Exorciste. Lorsqu'elle avance à quatre pattes dans son sac de couchage en coton molletonné dit turbulette. Elle glisse sur le parquet dans ce cocon zippé peu commode pour se déplacer. Sa silhouette leur évoque un discret personnage qu'ils croyaient avoir oublié : le petit de Popeye, éternellement engoncé dans son lange à mi-chemin entre l'oreiller et la serpillière. Tiens mais c'est Mimosa.

Dans son sommeil, le nourrisson à peine âgé de quelques jours émet de petits cris de façon sporadique. Les parents se demandent à quoi peut bien rêver un enfant si petit, quelles visions de cauchemar viennent troubler son esprit. Ils s'amusent à faire des spéculations. Un sein verdâtre ? Un geyser de lait avarié ?

L'eau continue à couler sous les ponts. Le long des voies sur berges qui bordent le fleuve, un parapet en pierre permet de s'appuyer pour contempler les flots couleur de glaise.

Des péniches naviguent droit, toujours plus vite qu'il n'y paraît, étranges hybrides entre l'engin utilitaire pour gros ouvrage et le transport de montagnes en modèle réduit. Elles glissent à ciel ouvert, cuirassés à coques plates accomplissant leur tâche de convoyeur de charges avec, directement versés à la surface, des paysages reconstitués, chaîne de collines de même hauteur en sable ou en gravier qu'on achemine ailleurs, sans doute vers des chantiers.

Leur avancée sur l'eau convoque les images d'un Paris ancien, un Paris de bateleurs et de transports fluviaux, d'ouvriers en bleu de chauffe et de cigarettes brunes aplaties au fond d'une poche dans un paquet de la même teinte cobalt.

Dans l'habitacle chauffé de la voiture, la mère regarde défiler le ciel où traînent quelques nuages, les ponts dont on peut lire les noms sur des panneaux indicateurs, Bir-Hakeim, Iéna, Alma, Marie, Arcole. Des métros aériens se croisent au milieu d'une passerelle en fer, source d'émerveillement et d'étonnement un peu inquiet. Des trains roulent au-dessus de l'eau, momentanément affranchis du sol et des tunnels creusés sous terre, des couloirs noirs de suie et leurs kilomètres de câbles. Elle se souvient que pendant son enfance, les trajets entre deux stations étaient ponctués d'affiches publicitaires qu'on ne pouvait pas ne pas lire sur les parois des tunnels charbonneux.

Dubonnet et ses acolytes balbutiants Dubo et Dubon.

Ceux qui avaient eu l'idée incongrue et originale d'occuper ces espaces ne s'étaient pas trompés. Le voyageur, qui n'avait rien d'autre à regarder le long des galeries souterraines, redécouvrait continuellement le même slogan en trois parties, et le tatouage mental serait indélébile.

Il restait encore quelques traces de publicités peintes sur les bords sans fenêtres de certains immeubles. Les couleurs s'écaillaient sur la pierre soumise aux intempéries.

Elle regarde dehors et elle voit toutes ces choses qui bientôt étonneront l'enfant. Si c'était physiquement possible elle voudrait leur sauter au cou. Elle se sent attachée à tout. Son cœur lévite, comme accroché à une énorme bulle. Quelque part sur la rive elle aperçoit une montgolfière à qui elle adresse un salut.

À y regarder de plus près, le ballon à l'hélium est un support de promotion pour une marque de pneus. Voilà un engin fabuleux. C'est grâce aux pneus que les voitures, à commencer par ce taxi, peuvent rouler sur de l'enrobé.

Bientôt, ils prêtent une attention nouvelle aux enfants croisés dans la rue. Ils ne peuvent s'empêcher de les suivre des yeux, de les observer secrètement, de déceler chez eux des ressemblances, des différences, des traits communs sur lesquels se fonder pour composer des images du futur.

Il arrive aux parents de se demander quelle voie elle choisira, quelle sorte de métier elle voudra exercer. Peut-être détective? Elle les met souvent à contribution pour l'aider à reconstituer des événements récents à partir d'indices prélevés dans la rue. D'où viennent ces flaques de pluie au milieu du trottoir? Qui a jeté ce papier gras? Pourquoi quelqu'un a-t-il posé son ticket de métro par terre?

Ou alors cuisinière. Elle leur fait tester des recettes inventées en direct à un rythme infernal. Elle enchaîne les services. Ils sont priés de terminer les plats servis sur des soucoupes de dînette en fer-blanc et de complimenter le chef.

Ils se retrouvent en stage pour devenir médecins. L'enfant leur montre comment faire : presser la seringue arrondie sur l'un des avant-bras et appuyer très fort. Placer les deux embouts du stéthoscope dans les oreilles et lancer le compte à rebours : trente-trois, quarante-neuf, quinze, vingt et un, neuf, et dix.

Ils sont prévenus que le produit pique un petit peu. Le premier guéri doit soigner les autres et ainsi de suite jusqu'à rétablissement complet.

Les voilà en répétitions face au nouveau metteur en scène. Ses intentions sont encore floues mais sa détermination ne fait aucun doute. Ils entrevoient ce que doivent ressentir des comédiens liés par contrat à un démiurge parti en roue libre, un génie capricieux que plus personne n'ose contredire. Ils se plient néanmoins au jeu, en bons débutants prêts à tout.

En la voyant partir droit devant elle aussi loin que possible sur une immense plage, ils ont l'impression d'emboîter le pas à une future aventurière.

Il faut croire que la mère envie la joie exprimée par sa fille lorsqu'elle enfile un déguisement. Elle la voit parader en robe de flamenco, en combinaison rayée de lapin, en super-héroïne. Peut-être est-ce pour cela qu'elle s'imagine à son tour costumée, revêtue d'une robe de fée. Elle s'entraîne à manier une baguette virtuelle qui dessinerait dans l'air des traînées de poudre dorée. Elle formule des vœux qui, contrairement à ces phrases magiques tracées à l'encre sympathique entre les pages brunies de vieux manuels, lui viennent naturellement sans avoir à les déchiffrer. Nul besoin d'affronter une corneille féroce ou de lutter contre un cerbère.

Puisses-tu avoir une belle et longue vie, faire des choses que tu aimes et rencontrer de belles personnes. Dans la forêt, méfie-toi du loup maléfique et des renards un peu trop obséquieux. Apprends à flairer les ruses des sorcières qui te vantent le confort d'une maison en nougat, en pain d'épice et en bon-bons. Regarde toujours où tu vas, c'est d'ail-leurs valable aussi dans la rue. Ne traîne pas trop dans les sous-bois quand tu vois que le jour décline. Essaye, d'une manière géné-rale, d'éviter les dangers. Tu peux prendre le temps d'observer la nature et de regarder les bestioles et les végétaux fascinants mais pense quand même à l'heure pour ne pas rester coincée dans les bois. Cela dit, je te fais confiance pour me désobéir un peu. Je sais que tu t'attarderas au-delà du raison-nable en ayant oublié les recommandations, que tu voudras écouter par toi-même, et comment t'en blâmer, le silence habité dans la plus noire obscurité.

On devrait d'ailleurs plus souvent imiter ton exemple et ne pas tant se dépêcher en pensant toujours au travail, rester aussi longtemps qu'il le faudrait, malgré les crampes et les fourmis, dans cette position d'observateur. Genoux pliés, tête penchée vers le sol, captivée par la course d'une limace ou d'un coléoptère.

Garde ce bon cœur généreux et gai. Les contes vous enseignent cela : vivre les expériences et donc y laisser une part d'innocence, perdre ses illusions en essayant de rester pur, de ne pas trop s'endurcir.

Si tu dois t'égarer parmi les arbres et perdre toute trace de chemin, j'essaierai tant bien que mal d'agiter ma baguette en adressant une demande au hasard pour qu'il porte tes pas vers une chaumière aux fenêtres éclairées. Si tout se passe comme espéré, tu verras de la fumée sortir d'une cheminée en briques. Jette quand même un coup d'œil à travers les carreaux embués avant de frapper à la porte. Si tu vois un chaudron suspendu dans la cheminée, c'est que le tour a réussi. Là, des hôtes charitables t'ouvriront et t'offriront un bol de soupe.

Malheureusement, tu ne pourras pas leur offrir de galette ni de pot de beurre pour les dédommager de l'hospitalité. Tu n'étais pas venue porter un panier garni de denrées riche en graisses animales à une grand-mère malade. Dans cette forêt, il n'y a plus que des fantômes. Pas de chevillette à tirer ni de bobinette prête à choir.

Aucun gâteau traditionnel n'aurait pu les soigner. C'était il y a des années. Elles n'ont pas pu attendre l'arrivée d'une petite-fille qui aime le rouge pour venir jusqu'à elles en bravant les dangers de la nature sauvage.

C'est un regret sentimental, et parfois pragmatique. À la nostalgie quotidienne de se dire que ces êtres-là auraient pu et dû se connaître et se seraient sans doute aimés, s'ajoute le manque de solutions lorsque l'emploi du temps s'avère difficile à mener.

Debout dans la cuisine, la veille des jours fériés, ils tournent dans leur tête les quelques possibilités et ne peuvent s'empêcher de projeter en pure perte une de ces rencontres impossibles, ces réunions qui ne se produiront jamais, peut-être simplement pour avoir le plaisir un peu douloureux de les fantasmer. Ah si nos mères étaient encore en vie, c'eût été l'idéal. La mienne aurait été ravie. Et la mienne, ne m'en parle pas. Elle n'aurait demandé que ça.

Une fois arrivés en bas de chez eux, ils s'étaient placés à l'arrière du véhicule dont le clignotant indiquait qu'ils n'en avaient pas pour longtemps. Ils avaient hésité. Le père avait dit je n'ose pas. La mère, au contraire, essayons. Monsieur, cela ne vous ennuie pas qu'on prenne une photo avec vous ? Ils sourient côte à côte devant le coffre refermé, le chauffeur de taxi et la jeune femme aux traits tirés avec sa poche kangourou ajourée d'où dépassent bras et jambes.

Ils marchent sur la grève à côté des galets. Les deux cabanes de pêcheurs concurrents disposées côte à côte sont vides. Tous les matins, si les conditions le permettent, les deux équipes viennent vendre leur marée. On aime montrer les poissons aux enfants, les hisser à hauteur des bacs pour leur faire découvrir les turbots et les soles agités d'ultimes soubresauts, les crabes et les homards en train de sécréter une mousse de bulles agglomérées, les chiens de mer qui ont un air de ressemblance avec les requins en beaucoup moins méchant.

Elle part en éclaireuse, sur l'herbe rase qui s'étend au pied des falaises. Elle se détache du groupe et prend de la distance. Ici il n'y a ni feux ni bonshommes rouges ou verts à observer avant de traverser. On n'est pas tenue de donner la main ni d'écouter les injonctions des adultes stressés.

Elle se met à courir en écartant les bras, elle part en ligne droite. Elle n'a pas peur, absolument pas peur. Elle ne peut déjà plus entendre les voix des parents qui veillent à la garder dans leur champ de vision. Bientôt le vent ajoute encore de la distance entre eux. Il avale leurs paroles et siffle à ses oreilles.

Pour la rattraper maintenant, il faudrait se mettre en mouvement et courir comme un bœuf dans la terre molle avec les bottes en caoutchouc. Elle avance vite, légère, sans passer par cette phase de démarrage avec lente accélération.

Elle découvre l'ivresse, la liberté et la distance. Elle connaît pour la première fois l'éloignement : une certaine solitude, une expérience nouvelle. Les parents, quant à eux, redécouvrent cette impression dans un mélange de crainte et de lâcher-prise obligé. Ils comprennent qu'il est inutile de crier attends-nous mais ils ne savent pas quoi dire d'autre. À cette distance, c'est la seule parole qui leur vient.

Ils voient le ciel changeant, la Manche, les promeneurs.

De toute façon elle ne peut pas attendre. Elle continue sans les entendre.

Achevé d'imprimer en novembre 2016
dans les ateliers de la Nouvelle Imprimerie
Laballery
à Clamecy (Nièvre)
N° d'éditeur : 2527
N° d'édition : 309564
N° d'imprimeur : 611151
Dépôt légal : janvier 2017

Imprimé en France